Dedicado a la memoria de

Lt. (j.g.) John Patrick Connors

LENGUAJE HUMANO EN EN PALABRA DE DIOS

Stephen Collins

WALTON PRESS
Reading, Massachusetts

El texto bíblico en esta publicación es tomado de la Versión Popular en español. Copyright © 1979 por Sociedades Bíblicas Unidas. Usado con permiso. La Biblia completa en La Versión Popular puede ser obtenida a través de la Sociedad Bíblica Americana, 1865 Broadway, New York, NY 10023.

Acknowledgements: Jim Autio; Alice Collins; Fr. José Corral, S.J.; Faculty Development Committee, Boston College High School; Fr. Joseph Fahey, S.J.; Fr. Francois Gick, S.J.; Francisco Latorre Ponte; Mike Mulhern; Mary Lou Posch; Vartan Sahagian; Skip Stahl; Marie Stultz; Jerry Whelan.

ISBN 0-9626328-0-5

Second printing, 2000

Walton Press, 23 Mineral Street, P.O. Box 564, Reading, Massachusetts 01867

Printed in the United States of America.

TABLA DE MATERIAS

INTRODUCTION

This book is based on, and inspired by, the writings of Matthew, Mark, Luke and John. Each passage reflects a segment of Jesus' life and teachings. When reading a selection you should draw on your familiarity with the Scriptures to help comprehend the message.

Before beginning the exercises or activities, you must keep in mind that people will respond differently to statements, questions or comments presented in this book. In giving your answers or opinions, be prepared to defend your response. Equally important will be your willingness to listen to the comments and thoughts presented by others.

Each New Testament reading is followed by a **Glosario** which defines or describes some of the more difficult words and expressions. As with any text, you should not interrupt your reading to find the meaning of a word. Try first to ascertain the meaning from the context of the passage. The initial comprehension exercise is a True or False (**¿Sí o No?**) checklist, written in the present tense wherever possible. If you believe that a statement is false, you should indicate that and then correct the statement. This can be accomplished in a number of ways, but try to avoid simply changing a negative to a positive, and vice-versa. If, however, you believe the statement to be true, you should then add a comment about that statement. The questions (**Preguntas**) provide a vehicle for checking your comprehension and retention. You should not hesitate to refer back to the text if you are unsure of an answer. The questions might prompt you to locate a point or a detail in the passage. **Vocabulario** is a matching exercise. It often asks you to associate words or expressions based on the text, not simply on their linguistic meaning. In the **Aplicación del Vocabulario** section you are to complete sentences with a word or expression contained in the **Glosario**. The sentences in this section are not based on the text. You are to write original sentences in the **Frases Originales** exercise, and you can choose to construct sentences that are based on the text or not. The complexity of your sentences will be defined by your level and ability. Section **G** differs with each reading. You may be asked to place statements in chronological order, identify the speakers of certain lines, or make associations. In the **Sumario** you are given the opportunity to summarize the passage in your own words. The development of your thoughts will be dictated by your ability. In the **Explicación del Texto** you are to respond to a statement about a short segment from the biblical passage. It is here that your interpretive skills will be challenged. Finally, in the **Composición y Conversación** section you are offered a series of comments or thoughts that ask you to reflect on the reading and to express your own ideas. This activity should be as individual as the reader.

You may have questions or comments about the text that are not addressed in the exercises and activities. Be sure to include those in your study or discussion. This book is a starting point. Hopefully it will assist you in furthering your knowledge of Spanish, while at the same time strengthening your understanding of Jesus' message.

I hope you enjoy your study. *¡Vaya con Dios!*

LENGUAJE HUMANO EN PALABRA DE DIOS

Mateo 14. 22–33
Jesús camina sobre el agua

A. LEER. In this passage we read of Jesus walking on the water.

²² Después de esto, Jesús hizo que sus discípulos subieran a la barca, para que cruzaran° el lago antes que él y llegaran al otro lado mientras él despedía° a la gente. ²³ Cuando la hubo despedido, Jesús subió a un cerro,° para orar° a solas.° Al llegar la noche, estaba allí él solo, ²⁴ mientras la barca ya iba bastante lejos de tierra firme. Las olas° azotaban° la barca, porque tenían el viento en contra.° ²⁵ A la madrugada,° Jesús fue hacia ellos caminando sobre el agua. ²⁶ Cuando los discípulos lo vieron andar sobre el agua, se asustaron,° y gritaron llenos de miedo:

—¡Es un fantasma!°

²⁷ Pero Jesús les habló, diciéndoles:

—¡Tengan valor,° soy yo, no tengan miedo!

²⁸ Entonces Pedro le respondió:

—Señor, si eres tú, ordena que yo vaya hasta ti sobre el agua.

²⁹ —Ven —dijo Jesús.

Pedro entonces bajó de la barca y comenzó a caminar sobre el agua en dirección a Jesús. ³⁰ Pero al notar la fuerza del viento, tuvo miedo; y como comenzaba a hundirse,° gritó:

—¡Sálvame, Señor!

³¹ Al momento, Jesús lo tomó de la mano y le dijo:

—¡Qué poca fe tienes! ¿Por qué dudaste?

³² En cuanto° subieron a la barca, se calmó el viento. ³³ Entonces los que estaban en la barca se pusieron de rodillas° delante de Jesús, y le dijeron:

—¡En verdad tú eres el Hijo de Dios!

GLOSARIO

cruzaran (cruzar)   pasar de un lado a otro
despedía (-ir)   decir adiós
cerro (m)   colina, loma, montaña baja
orar   rezar, decir oraciones a Dios
a solas   *alone*
olas (f)   agua del mar agitada violentamente
azotaban (-ar)   golpear con fuerza
tenían el viento en contra   *the wind was against them*
madrugada (f)   muy temprano en la mañana
se asustaron (-arse)   tener miedo
fantasma (m)   visión quimérica; el que viene de la muerte
¡Tengan valor...!   ¡Sean Uds. valientes...!
hundirse   meter en lo hondo; ir debajo de la superficie del agua
En cuanto   Tan pronto como
se pusieron de rodillas   *they knelt down*

B. ¿SÍ o NO? Read each statement and indicate if it is **Verdadero** (V) or **Falso** (F). If the statement is false, correct it. If it is true, add a comment about the statement.

1. _____ Jesús y sus discípulos suben a la barca.

_____

2. _____ Jesús despide a la gente.

_____

3. _____ Jesús baja de un cerro para orar.

_____

4. _____ Hace mucho viento durante la noche.

_____

5. _____ Jesús camina sobre el agua.

_____

6. _____ Los discípulos se alegran al ver a Jesús andar sobre el agua.

_____

7. _____ Los discípulos creen que Jesús es un fantasma.

_____

8. _____ Los discípulos ayudan a Pedro.

9. _____ Pedro no puede caminar sobre el agua a causa del viento.

10. _____ Cuando Jesús y Pedro subieron a la barca, se calmó el viento.

C. PREGUNTAS. Answer the following questions with complete sentences.

1. ¿Por qué no acompañó Jesús a sus discípulos en la barca?

2. ¿Adónde fue Jesús para orar?

3. ¿Quién oró con Jesús durante la noche?

4. ¿Qué efecto tuvo el viento sobre la barca?

5. ¿Cuándo se acercó Jesús a la barca?

6. ¿Cómo reaccionaron los discípulos cuando vieron a Jesús caminando sobre el agua?

7. ¿Quién quería andar sobre el agua?

8. ¿Por qué no pudo andar sobre el agua el discípulo?

9. ¿Por qué tuvo miedo el discípulo cuando trató de andar sobre el agua?

10. ¿Cuándo se calmó el viento?

D. VOCABULARIO. Match the words or expressions that are **opposite** in meaning.

___ 1.	fantasma	a.	duda
___ 2.	lago	b.	noche
___ 3.	andar sobre el lago	c.	bajar
___ 4.	valor	d.	persona
___ 5.	fe	e.	tierra firme
___ 6.	subir	f.	miedo
___ 7.	madrugada	g.	hundirse

E. APLICACIÓN DEL VOCABULARIO. Select the word or expression from the **glosario** that best completes the meaning of each sentence. If necessary, change the word or expression to the appropriate form.

1. Se despertaron a las cinco de la _____ para ir de pesca.

2. El artista subió al _____ para ver mejor el paisaje.

3. Los marineros creían que iban a _____ porque la tormenta empeoraba a cada instante.

4. En su sueño unos _____ se le aparecieron.

5. Los niños _____ cuando vieron las olas tan altas.

F. FRASES ORIGINALES. Write original sentences using a form of the following words.

1. cruzar _____

2. orar _____

3. azotar _____

4. tener valor _____

5. ponerse de rodillas _____

G. IDENTIFICAR. Identify the person or group speaking in each statement.

1. «¡Es un fantasma!» _____

2. «¡Tengan valor!» _____

3. «.. ordena que yo vaya hasta ti sobre el agua» _____

4. «¡Sálvame, Señor!» _____

5. «¡Qué poca fe tienes!» _____

6. «¡En verdad tú eres el Hijo de Dios!»_____

H. SUMARIO. In Spanish, briefly summarize this passage.

_____

_____

_____

_____

_____

_____

I. EXPLICACIÓN DEL TEXTO. Read the following excerpt from the passage and tell, in Spanish, why these words from Jesus are so important today.

¡Tengan valor, soy yo, no tengan miedo!

_____

_____

_____

_____

_____

J. COMPOSICIÓN Y CONVERSACIÓN. The following comments and questions are for written or oral expression.

1. Jesús le dijo a Pedro, «¡Qué poca fe tienes! ¿Por qué dudaste?» En su propia vida, ¿ha tenido Ud. momentos o períodos de poca fe? ¿Cuándo? ¿Cómo se sintió Ud.?

2. Pedro tuvo miedo de hundirse y le gritó a Jesús, «Sálvame, Señor.» No es nada anormal tener miedo de algo, ¿verdad? ¿Ha sentido Ud. miedo en alguna ocasión? Describa una situación y su miedo sobre esa situación. ¿Le ayudó Jesús? ¿Cómo?

LENGUAJE HUMANO EN PALABRA DE DIOS

Lucas 2. 41–52
El niño Jesús en el templo

A. LEER. In this passage Luke tells us how Jesus stayed behind at the temple.

⁴¹ Los padres de Jesús iban todos los años a Jerusalén para la fiesta de la
Pascua. ⁴² Y así, cuando Jesús cumplió doce años°, fueron allá todos ellos,
como era costumbre en esa fiesta. ⁴³ Pero pasados aquellos días, cuando
volvían a casa, el niño Jesús se quedó en Jerusalén, sin que sus padres se
dieran cuenta.° ⁴⁴ Pensando que Jesús iba entre la gente, hicieron un día de
camino;° pero luego, al buscarlo entre los parientes° y conocidos,° ⁴⁵ no lo
encontraron. Así que regresaron a Jerusalén para buscarlo allí.

⁴⁶ Al cabo de° tres días lo encontraron en el templo, sentado entre los
maestros de la ley, escuchándolos y haciéndoles preguntas.° ⁴⁷ Y todos los
que le oían se admiraban de su inteligencia y de sus respuestas. ⁴⁸ Cuando
sus padres le vieron, se sorprendieron;° y su madre le dijo:

—Hijo mío, ¿por qué nos has hecho esto? Tu padre y yo te hemos
estado buscando llenos de angustia.°

⁴⁹ Jesús les contestó:

—¿Por qué me buscaban? ¿No saben que tengo que estar en la casa de
mi Padre?

⁵⁰ Pero ellos no entendieron lo que les decía.

⁵¹ Entonces volvió con ellos a Nazaret, donde vivió obedeciéndoles° en
todo. Su madre guardaba° todo esto en su corazón. ⁵² Y Jesús seguía
creciendo° en cuerpo y mente, y gozaba del favor de Dios y de los
hombres.

GLOSARIO

> **cumplió doce años** *reached the age of twelve*
> **se dieran cuenta** *(without) realizing it*
> **hicieron un dia de camino** *they walked a whole day*
> **parientes** (m) personas de la misma familia
> **conocidos** (m) personas con quien se tiene trato

Al cabo de   Después de
haciéndoles preguntas   preguntándoles
se sorprendieron (-erse)   maravillarse de algo imprevisto o incomprensible
angustia (f)   aflicción grande
obedeciéndoles (-er)   cumplir la voluntad de quien manda
guardaba (-ar)   conservar o custodiar algo
seguía creciendo   *kept on growing*

B. ¿SÍ o NO? Read each statement and indicate if it is **Verdadero** (V) or **Falso** (F). If the statement is false, correct it. If it is true, add a comment about the statement.

1. _____ La fiesta de la Pascua se celebra en Jerusalén.

   _____

2. _____ Ésta es la primera vez que María y José van a la fiesta.

   _____

3. _____ Jesús acompaña a sus padres porque tiene doce años.

   _____

4. _____ José se queda en el templo mientras que María vuelve a casa.

   _____

5. _____ Al principio, los padres de Jesús creen que él está en Jerusalén.

   _____

6. _____ Hace tres días que lo buscan.

   _____

7. _____ Encuentran a Jesús en su casa.

   _____

8. _____ Jesús no habla a los maestros de la ley.

   _____

9. _____ Todos los que oyen a Jesús le respetan.

   _____

10. _____ Jesús dice que el templo es la casa de sus padres.

   _____

C. PREGUNTAS. Answer the following questions with complete sentences.

1. ¿Para qué fueron a Jerusalén Jesús y sus padres?

_____

2. ¿A qué edad era costumbre ir por primera vez a la fiesta?

_____

3. ¿Quiénes volvieron a Nazaret después de la fiesta?

_____

4. ¿Dónde creían sus padres que estaba Jesús?

_____

5. ¿Qué hicieron los padres de Jesús cuando no lo encontraron en Nazaret?

_____

6. ¿Dónde encontraron a Jesús?

_____

7. ¿Qué estaba haciendo Jesús cuando lo encontraron?

_____

8. ¿Cómo se sentían José y María mientras buscaban a su hijo?

_____

9. ¿Dónde dijo Jesús que tenía que estar?

_____

10. ¿Qué hicieron Jesús y sus padres después de que le encontraron?

_____

D. VOCABULARIO. Based on the context of the passage, match the words or expressions that are most closely associated.

_____ 1. parientes   a. Pascua
_____ 2. obedeciéndoles   b. respuestas
_____ 3. fiesta   c. maestros de la ley
_____ 4. buscar   d. conocidos
_____ 5. llenos de   e. encontraron
_____ 6. inteligencia   f. angustia
_____ 7. templo   g. padres

E. APLICACIÓN DEL VOCABULARIO. Select the word or expression from the **glosario** that best completes the meaning of each sentence. If necessary, change the word or expression to the appropriate form.

1. Todos sus _____, menos un tío, asistieron al bautizo.

2. El culpable siente mucha _____ por lo que ha hecho.

3. Los invitados no _____ al oír las noticias del huésped.

4. Los viajeros _____ sus pasaportes en un lugar seguro.

5. No entendieron las instrucciones, por eso le _____ al maestro.

F. FRASES ORIGINALES. Write original sentences using a form of the following words.

1. conocido _____

2. obedecer _____

3. darse cuenta _____

4. al cabo de _____

5. seguir creciendo _____

G. ORDEN CRONOLÓGICO. Number the following events according to their chronological order.

_____ a. José y María vuelven a Jerusalén.

_____ b. Jesús cumple doce años.

_____ c. Jesús habla a los maestros de la ley.

_____ d. Jesús y sus padres vuelven a Nazaret.

_____ e. Jesús se queda en el templo.

_____ f. Jesús y sus padres van a Jerusalén.

_____ g. Los padres de Jesús lo buscan.

H. SUMARIO. In Spanish, briefly summarize this passage.

_____

_____

_____

_____

_____

_____

_____

I. EXPLICACIÓN DEL TEXTO. Read the following excerpt from the passage and tell, in Spanish, what these words spoken by Jesus tell us about His mission.

> ¿Por qué me buscaban? No saben que tengo que estar en la casa de mi Padre?

_____

_____

_____

_____

_____

J. COMPOSICIÓN Y CONVERSACIÓN. The following comments and questions are for written or oral reflection.

1. Jesús volvió a Narazet con sus padres y les obedeció en todo. A veces es difícil obedecer a los padres, y de vez en cuando no les odedecemos. Explique por qué es importante obedecer a los padres.

2. Los padres de Jesús no podían encontrarle y pasaron tres días buscándole. Ellos estaban «llenos de angustia.» ¿Puede Ud. recordar alguna ocasión en la que Ud. se perdió y no podía encontrar a sus padres? ¿Cómo se sintió Ud? Y, ¿cómo se sintieron sus padres?

LENGUAJE HUMANO EN PALABRA DE DIOS

Juan 2. 1–12
Una boda en Caná de Galilea

A. LEER. In this passage Jesus performs His first public miracle.

¹ Al tercer día hubo una boda en Caná, un pueblo de Galilea. La madre de Jesús estaba allí, ² y Jesús y sus discípulos fueron también invitados a la boda. ³ Se acabó° el vino, y la madre de Jesús le dijo:

—Ya no tienen vino.

⁴ Jesús le contestó:

—Mujer, ¿por qué me dices esto? Mi hora no ha llegado todavía.

⁵ Ella dijo a los que estaban sirviendo:

—Hagan todo lo que él les diga.

⁶ Había allí seis tinajas° de piedra, para el agua que usan los judíos en sus ceremonias de purificación. En cada tinaja cabían° de cincuenta a setenta litros de agua. ⁷ Jesús dijo a los sirvientes:

—Llenen° de agua estas tinajas.

Las llenaron hasta arriba,° ⁸ y Jesús les dijo:

—Ahora saquen° un poco y llévenselo al encargado° de la fiesta.

Así lo hicieron. ⁹ El encargado de la fiesta probó° el agua convertida en vino, sin saber de dónde había salido; sólo los sirvientes lo sabían, pues ellos habían sacado el agua. Así que° el encargado llamó al novio ¹⁰ y le dijo:

—Todo el mundo sirve primero el mejor vino, y cuando los invitados ya han bebido bastante, entonces se sirve el vino corriente°. Pero tú has guardado° el mejor vino hasta ahora.

¹¹ Esto que hizo Jesús en Caná de Galilea fue la primera señal° milagrosa° con la cual mostró su gloria; y sus discípulos creyeron en él.

¹² Después de esto se fue a Capernaum, acompañado de su madre, sus hermanos y sus discípulos; y allí estuvieron unos cuantos° días.

GLOSARIO

Se acabó no había más

tinajas (f) vasija grande de barro cocido, o de piedra

cabían (-er) poder estar una cosa dentro de otra

llenen (-ar) ocupar con alguna cosa un espacio vacío

hasta arriba *to the top*

saquen (sacar) extraer, hacer salir

encargado (m) persona que tiene a su cargo, como jefe, un establecimiento, negocio, etc., en representación del dueño

probó (-ar) tomar una pequeña porción de un alimento o bebida para apreciar su sabor; ensayar, intentar

Así que *Then*

corriente ordinario, regular

guardado (-ar) conservar, custodiar algo

señal (f) marca que hay o se pone en las cosas para darlas a conocer

milagrosa perteneciente al acto de poder divino, superior al order natural y a las fuerzas humanas

unos cuantos *a few*

B. **¿SÍ o NO?** Read each statement and indicate if it is **Verdadero** (V) or **Falso** (F). If the statement is false, correct it. If it is true, add a comment about the statement.

1. _____ La madre de Jesús convierte el agua en vino.

   _____

2. _____ Caná está en Capernaum.

   _____

3. _____ Jesús es el encargado de la fiesta.

   _____

4. _____ Los sirvientes obedecen a Jesús.

   _____

5. _____ El encargado mete el vino en las tinajas.

   _____

6. _____ Los sirvientes prueban el vino.

   _____

7. _____ Sólo los sirvientes saben de dónde sale el vino.

   _____

8. _____ El vino corriente es mejor.

_____

9. _____ Éste es el primer milagro de Jesús.

_____

10. _____ Después de convertir el agua en vino, Jesús se queda en Caná por tres días.

_____

C. PREGUNTAS. Answer the following questions with complete sentences.

1. ¿Qué estaban celebrando?

_____

2. ¿Quién dijo a Jesús que no tenían vino?

_____

3. ¿Para qué usaban el agua los judíos?

_____

4. ¿Cuánta agua cabía en cada tinaja?

_____

5. ¿Cuántas tinajas había?

_____

6. ¿De qué eran las tinajas?

_____

7. ¿Quién probó el agua convertida en vino?

_____

8. ¿Quiénes llenaron las tinajas con agua?

_____

9. Por lo general, ¿qué clase de vino se sirve primero?

_____

10. ¿Qué dijo Jesús a su madre cuando ella le informó que no había más vino?

_____

D. VOCABULARIO. Based on the context of the passage, match the words or expressions that are most closely associated.

_____ 1. el vino   a. novio

_____ 2. tinajas   b. sirvientes

_____ 3. señal   c. de piedra

_____ 4. boda   d. milagrosa

_____ 5. encargado   e. se acabó

E. APLICACIÓN DEL VOCABULARIO. Select the word or expression from the **glosario** that best completes the meaning of each sentence. If necessary, change the word or expression to the appropriate form.

1. Se perdieron y llegaron tarde porque no vieron _____.

2. En este modelo de coche _____ cinco personas.

3. Mi padre _____ el tanque con gasolina anteayer.

4. Uno de mis quehaceres es _____ la basura.

5. Los médicos no saben explicar el por qué; dicen que debe de ser una curación _____.

F. FRASES ORIGINALES. Write original sentences using a form of the following words.

1. el encargado _____

2. corriente _____

3. probar _____

4. hasta arriba _____

5. se acabó _____

G. ORDEN CRONOLÓGICO. Number the following events according to their chronological order.

_____ a. El encargado habla al novio de la calidad del vino.

_____ b. Los sirvientes llenan las tinajas con agua.

_____ c. María informa a Jesús que no hay más vino.

_____ d. Jesús va a Capernaum.

_____ e. El carcargado prueba el vino.

H. SUMARIO. In Spanish, briefly summarize this passage.

_____

_____

_____

_____

_____

_____

_____

I. EXPLICACIÓN DEL TEXTO. Read the following excerpt from the passage and tell, in Spanish, what Jesus meant with these words.

Mujer, ¿por qué me dices esto? Mi hora no ha
llegado todavía.

_____

_____

_____

_____

_____

J. COMPOSICIÓN Y CONVERSACIÓN. The following comments and questions are for written or oral reflection.

1. Después de este milagro, los discípulos de Jesús «creyeron en él.» ¿Cree Ud. que es necesario esperar milagros en Dios? ¿Pedimos a Dios estos milagros? ¿Qué nos dice esta actitudud acerca de nuestra fe en Dios?

2. Mientras algunas personas afirman que no hay milagros, hay otros que juran que los han visto. También hay algunos individuos que dicen que han experimentado milagros en su vida personal. ¿Qué cree Ud.? ¿Hay milagros en el mundo hoy en día? ¿Ha visto Ud. algún milagro en su vida o en la vida de otros?

LENGUAJE HUMANO EN PALABRA DE DIOS

Marcos 14. 32–42
Jesús ora en Getsemaní

A. LEER. In this passage from Mark we see the apostles unable to stay awake while Jesus is praying.

³² Luego fueron a un lugar° llamado Getsemaní. Jesús dijo a sus discípulos:

—Siéntense aquí, mientras yo voy a orar.°

³³ Y se llevó a Pedro, a Santiago y a Juan, y comenzó a sentirse muy afligido° y angustiado.° ³⁴ Les dijo:

—Siento en mi alma° una tristeza de muerte. Quédense ustedes aquí, y permanezcan despiertos.

35 En seguida,° Jesús se fue un poco más adelante, se inclinó° hasta tocar el suelo con la frente,° y pidió a Dios que, a ser posible,° no le llegara ese momento de dolor.°

³⁶ En su oración° decía: "Padre mío, para ti todo es posible: líbrame de este trago° amargo;° pero que no se haga lo que yo quiero, sino lo que quieres tú."

³⁷ Luego volvió a donde ellos estaban, y los encontró dormidos. Le dijo a Pedro:

—Simón, ¿estás durmiendo? ¿Ni siquiera° una hora pudiste mantenerte despierto? ³⁸ Manténganse despiertos y oren, para que no caigan en tentación.° Ustedes tienen buena voluntad,° pero su cuerpo es débil.

³⁹ Se fue otra vez, y oró repitiendo las mismas palabras. ⁴⁰ Cuando volvió, encontró otra vez dormidos a los discípulos, porque sus ojos se les cerraban de sueño. Y no sabían qué contestarle. ⁴¹ Volvió por tercera vez, y les dijo:

—¿Siguen ustedes durmiendo y descansando? Ya basta,° ha llegado la hora en que el Hijo del hombre va a ser entregado en manos de los pecadores. ⁴² Levántense, vámonos; ya se acerca el que me traiciona.°

GLOSARIO

lugar (m)   sitio
orar   rezar, decir oraciones a Dios
afligido   triste, con pena
angustiado   con aflicción, ansioso
alma (f)   substancia espiritual que forma el cuerpo humano
en seguida   inmediatamente
se inclinó (-arse)   *(he) bent over*
frente (f)   parte superior de la cara
a ser posible   *if it be possible*
dolor (m)   sensación molesta y aflictiva
oración (f)   ruego que se hace a Dios
trago (m)   porción de líquido que se bebe de una vez
amargo   sabor desagradable
ni siquiera   *not even*
tentación (f)   estímulo que induce a una cosa mala
tienen buena voluntad   *the spirit is willing*
Ya basta   *Enough (of this) now*
traiciona (-ar)   quebrantar la lealtad o la fidelidad debida

B. ¿SÍ o NO? Read each statement and indicate if it is **Verdadero** (V) or **Falso** (F). If the statement is false, correct it. If it is true, add a comment about the statement.

1. _____ Jesús quiere dormir en Getsemaní.

_____

2. _____ Sus discípulos se sienten afligidos.

_____

3. _____ Pedro, Santiago y Juan siguen a Jesús.

_____

4. _____ Jesús ora a su padre.

_____

5. _____ Jesús quiere seguir el deseo de su padre.

_____

6. _____ Los discípulos están bien descansados.

_____

7. _____ Jesús pide a Dios que pase de él este dolor.

_____

8. _____ Los discípulos se duermen dos veces.

_____

9. _____ Los discípulos oran con Jesús.

_____

10. _____ Los discípulos le dicen a Jesús que tienen sueño

_____

C. PREGUNTAS. Answer the following questions with complete sentences.

1. ¿Para qué fue Jesús a Getsemaní?

_____

2. ¿A quiénes se llevó con él?

_____

3. ¿Cómo se sintió Jesús?

_____

4. ¿De qué se dio cuenta Jesús?

_____

5. ¿Qué hizo Jesús antes de rezar a Dios?

_____

6. ¿Qué le pidió Jesús a su padre?

_____

7. ¿Qué estaban haciendo los discípulos cuando Jesús volvió de orar?

_____

8. ¿Adónde fue Jesús mientras los discípulos se quedaron?

_____

9. ¿Para qué debían mantenerse despiertos?

_____

10. ¿Quién se le acercó a Jesús?

_____

D. VOCABULARIO. Match the words or expressions that are **opposite** in meaning.

_____	1. alma	a.	distinto
_____	2. sentarse	b.	fuerte
_____	3. quedarse	c.	dormido
_____	4. contestar	d.	cuerpo
_____	5. afligido	e.	alejarse
_____	6. acercarse	f.	levantarse
_____	7. angustiado	g.	contento
_____	8. tristeza	h.	irse
_____	9. despierto	i.	preguntar
_____	10. débil	j.	alegría
_____	11. mismo	k.	tranquilo

E. APLICACIÓN DEL VOCABULARIO. Select the word or expression from the **glosario** that best completes the meaning of each sentence. If necessary, change the word or expression to the appropriate form.

1. El Miércoles de Cenizas muchos cristianos reciben una cruz hecha de cenizas en _____.

2. Cuando vimos la destrucción y el sufrimiento nos sentimos muy _____.

3. Cuando yo _____ a recoger el papel del suelo, me hice daño en la espalda.

4. El niño no quiso tomar la medicina a causa de su sabor tan _____.

5. El espía pensaba _____ su patria.

F. FRASES ORIGINALES. Write original sentences using a form of the following words.

1. orar _____

2. tentación _____

3. alma _____

4. dolor _____

5. en seguida _____

G. IDENTIFICAR. In the following selections identify the person or group to whom Jesus is speaking.

1. «Siéntense aquí, mientras yo voy a orar.» _____

2. «...líbrame de este trago amargo ...» _____

3. «...¿estás durmiendo?» _____

4. «Manténganse despiertos y oren ...» _____

5. «...sino lo que quieres tú.» _____

H. SUMARIO. In Spanish, briefly summarize this passage.

_____

_____

_____

_____

_____

_____

_____

I. EXPLICACIÓN DEL TEXTO. Read the following excerpt from the passage and tell, in Spanish, how Jesus' words reflect His humanity.

> … Padre mío, para ti todo es posible: líbrame de
> este trago amargo; pero no se haga lo que yo
> quiero, sino lo que quieres tú.

_____

_____

_____

_____

_____

J. COMPOSICIÓN Y CONVERSACIÓN. The following comments and questions are for written or oral reflection.

1. Al encontrar a sus discípulos dormidos, Jesús les dijo: «Ustedes tienen buena voluntad, pero su cuerpo es débil.» Casi todos nos podemos identificar con los discípulos y con esas palabras de Jesús. Queremos hacer algo, pensamos hacerlo, pero la verdad es que no lo hacemos. ¿Por qué es así? ¿Puede Ud. pensar en su propia «buena voluntad» que no se llevó a cabo? Describa alguna situación personal que refleje esta debilidad humana.

2. Jesús se dio cuenta del dolor que iba a sufrir, y le pidió a su Padre que lo librara del sufrimiento; pero al mismo tiempo se puso en manos de su Padre, ofreciéndose a la voluntad del Padre. ¿Se ha sentido Ud. alguna vez llamado por Dios para hacer algo en particular? ¿Cómo respondió Ud?

LENGUAJE HUMANO EN PALABRA DE DIOS

Lucas 6. 27–36
El amor a los enemigos

A. LEER. In this passage we hear Jesus telling us to love everyone.

27 "Pero a ustedes que me escuchan les digo: Amen° a sus enemigos, hagan bien a quienes los odian,° 28 bendigan° a quienes los maldicen,° oren° por quienes los insultan. 29 Si alguien te pega° en una mejilla,° ofrécele también la otra; y si alguien te quita la capa, déjale° que se lleve también tu camisa. 30 A cualquiera que te pida algo, dáselo, y al que te quite lo que es tuyo, no se lo reclames.° 31 Hagan ustedes con los demás como quieren que los demás hagan con ustedes.

32 "Si ustedes aman solamente a quienes los aman a ustedes, ¿qué hacen de extraordinario?° Hasta los pecadores se portan° así. 33 Y si hacen bien solamente a quienes les hacen bien a ustedes, ¿qué tiene eso de extraordinario? 34 Y si dan prestado° sólo a aquellos de quienes piensan recibir algo, ¿qué hacen de extraordinario? También los pecadores se prestan unos a otros, esperando recibir unos de otros. 35 Ustedes deben amar a sus enemigos, y hacer bien, y dar prestado sin esperar recibir nada a cambio.° Así será grande su recompensa,° y ustedes serán hijos del Dios altísimo, que es también bondadoso° con los desagradecidos° y los malos. 36 Sean ustedes compasivos,° como también su Padre es compasivo.

GLOSARIO

amen (-ar)   tener amor a persona o cosa
odian (-ar)   tener aversión hacia una persona
bendigan (bendecir)   invocar en favor de alguna persona o cosa la protección divina
maldicen (maldecir)   echar imprecación o detestación hacia una persona o cosa
oren (-ar)   rezar, decir oraciones a Jesús
pega (-ar)   golpear
mejilla (f)   parte lateral de la cara
déjale (-ar)   permitir

reclames (-ar)   pedir o exigir con derecho una cosa
de extraordinario   *out of the ordinary*
se portan (-arse)   conducirse, modo de actuar
prestado (m)   dinero u otra cosa que le entrega a otra persona por cierto tiempo
a cambio   *in exchange*
recompensa (f)   premio
bondadoso   muy bueno
desagradecidos (m)   personas que demuestran ingratitud
compasivos   que tienen compasión

B. ¿SÍ o NO? Read each statement and indicate if it is **Verdadero** (V) or **Falso** (F). If the statement is false, correct it. If it is true, add a comment about the statement.

1. _____ Jesús sabe que no todos le escuchan.

_____

2. _____ Jesús enseña cómo debemos portarnos con los enemigos.

_____

3. _____ Debemos maldecir a quienes nos maldicen.

_____

4. _____ Cuando alguien nos pega, debemos darle nuestra camisa.

_____

5. _____ Si alguien nos pide algo, debemos reclamarlo.

_____

6. _____ Los pecadores esperan recibir algo a cambio.

_____

7. _____ La expresión «¿qué tiene eso de extraordinario?» se refiere a lo que hacen los pecadores.

_____

8. _____ El premio por seguir estas lecciones es ser hijos de Dios.

_____

9. _____ Dios es bondadoso sólo con los que siguen estos consejos.

_____

10. _____ Jesús quiere que seamos compasivos como él es compasivo.

_____

C. PREGUNTAS. Answer the following questions with complete sentences.

1. ¿A quiénes les está hablando Jesús?

Jesús está hablando a sus discipulos al sermón.

2. ¿Qué nos hacen nuestros enemigos?

Nuestros enemigos nos insultan y pegan no gustan nuestra cosa

3. Si alguien nos quita la capa, ¿qué debemos hacer?

nos llevemos las camisas

4. ¿A quiénes debemos amar?

Debemos amar a nuestros enemigos y hermos

5. ¿Quiénes esperan recibir algo a cambio cuando dan prestado a alguien?

los pecadores esperan recibir algo a cambio.

6. ¿Qué debemos esperar recibir cuando prestamos algo?

No Debemos esperar recibir nada.

7. ¿Cuál será nuestra recompensa por seguir estas lecciones?

Seremos hijos de Dios.

8. ¿Con quiénes es bondadoso Jesús?

Jesús es bondadoso con los desagradecidos y los malos.

9. ¿Cómo quiere Jesús que nosotros seamos?

Jesús quiere que Seamos compasivo como Dios

10. ¿Quién es «su Padre» en esta lectura?

Dios es "su Padre"

D. VOCABULARIO. Based on the context of the passage, match the words or expressions that are most closely associated.

_____ 1. bendecir   a. camisa
_____ 2. amar   b. insultar
_____ 3. quitar   c. maldecir
_____ 4. bondadoso   d. odiar
_____ 5. pegar   e. reclamar
_____ 6. capa   f. desagradecido
_____ 7. orar   g. mejilla

E. APLICACIÓN DEL VOCABULARIO. Select the word or expression from the **glosario** that best completes each sentence. If necessary, change the word or expression to the appropriate form.

1. A nadie le cae bien ese hombre porque siempre _____ a todos.

2. El ladrón me _____ en la cabeza y me hizo daño.

3. La gente se reunió para _____ a Dios.

4. Esos padres están muy orgullosos de sus hijos cuando _____ como adultos y respetan a otros.

5. Mi amigo me perdonó aunque le había insultado; de veras, es un amigo muy _____.

F. FRASES ORIGINALES. Write original sentences using a form of the following words.

1. amar _Jesús nos ama._

2. bendecir _El sacerdote les bendice la gente._

3. odiar _Debemos odiar nuestras ofensas_

4. recompensa _El recibe una recompensa por su obra buena._

5. desagradecidos _Los desagradecidos son muy tristes_

G. IDENTIFICAR. Identify the following statements as a **Lección de Dios** (L) or **Como se portan los pecadores** (P).

1. ____ Amar a sus enemigos.

2. ____ Hacer con los demás como quieren que los demás hagan con Uds.

3. ____ Amar a quienes los aman a Uds.

4. ____ Dar prestado sin esperar recibir nada a cambio.

5. ____ Hacer bien a quienes les hacen bien a Uds.

6. ____ Dar prestado a aquellos de quienes piensa recibir algo.

H. SUMARIO. In Spanish, briefly summarize this passage.

Jesús nos dice la importancia de amor a los enemigos. Debemos amar ~~es~~ nuestros enemigos. Debemos tener paciencia con todas personas. Jesús quiere que tengamos cuidado a respetar todos person. no sólo nuestros amigos. Nosotros amamos como Dios nos ama porque Dios nos amó primero.

Tenemos sacrificar por. Tenemos dios.

I. EXPLICACIÓN DEL TEXTO. Read the following excerpt from the passage and tell, in Spanish, how God serves as a model for us.

> Así será grande su recompensa, y ustedes serán
> hijos del Dios altísimo, que es también bondadoso
> con los desagradecidos y los malos.

Dios es un modelo bueno de compasión y misericordia. Podemos recibir nuestra recompensa porque recibimos la compasión de Dios.

J. COMPOSICIÓN Y CONVERSACIÓN. The following questions or comments are for written or oral expression.

— one page in length

1. «Si alguien te pega en una mejilla, ofrecele también la otra ....» Estas palabras de Jesús son muy conocidas, pero también son unas de las más difíciles de seguir. ¿Cómo se siente Ud. cuando alguien le insulta? ¿le golpea? ¿le maldice? ¿se burla de Ud.? ¿le roba? ¿Puede Ud. perdonarle? Relate unas experiencias personales que demuestren su reacción contra alguien que le hizo daño.

2. Hay mucha violencia en el mundo hoy día. Se lee en el periódico y se ven en la televisión muchos actos de violencia todos los días. ¿Podemos hacer algo para poner fin a toda esta violencia? Nadie puede hacer todo, pero en nuestras relaciones personales, ¿podemos mostrar un modelo de comportamiento cristiano que sigue el ejemplo de Jesús?

3. «Hagan Uds. con los demás como quieren que los demás hagan con ustedes.» Estas palabras son también repetidas muy a menudo. Es muy normal enojarse cuando alguien no nos trata bien. En su propia vida, ¿cuáles son unos ejemplos concretos que puede poner en práctica para seguir estas instrucciones?

LENGUAJE HUMANO EN PALABRA DE DIOS

Lucas 5. 1–11
La pesca milagrosa

A. LEER. In this passage we see Jesus' disciples catching more fish than their boats can hold.

¹ En una ocasión, estando Jesús a orillas° del lago de Genesaret, se sentía apretujado° por la multitud que quería oír el mensaje de Dios. ² Jesús vio dos barcas en la playa. Estaban vacías,° porque los pescadores° habían bajado de° ellas a lavar sus redes.° ³ Jesús subió a una de las barcas, que era de Simón, y le pidió que la alejara° un poco de la orilla. Luego se sentó en la barca, y desde allí comenzó a enseñar a la gente. ⁴ Cuando terminó de hablar, le dijo a Simón:

Lleva la barca a la parte honda° del lago, y echen° allí sus redes, para pescar.°

⁵ Simón le contestó:

—Maestro, hemos estado trabajando toda la noche sin pescar nada; pero, ya que tú lo mandas, voy a echar las redes.

⁶ Cuando lo hicieron, recogieron tanto pescado que las redes se rompían.

⁷ Entonces hicieron señas° a sus compañeros de la otra barca, para que fueran a ayudarlos. Ellos fueron, y llenaron tanto las dos barcas que les faltaba poco° para hundirse.° ⁸ Al ver esto, Simón Pedro se puso de rodillas° delante de Jesús y le dijo:

—¡Apártate de mí,° Señor, porque soy un pecador!

⁹ Es que Simón y todos los demás estaban asustados° por aquella gran pesca que habían hecho. ¹⁰ También lo estaban Santiago y Juan, hijos de Zebedeo, que eran compañeros de Simón. Pero Jesús le dijo a Simón:

—No tengas miedo; desde ahora vas a pescar hombres.

¹¹ Entonces llevaron las barcas a tierra, lo dejaron todo y se fueron con Jesús.

GLOSARIO

orillas (f) límites, bordes de río, mar, lago, etc.
apretujado apretado; muchas personas en un poco espacio
vacías que no contienen nada
pescadores (m) los que recogen peces con redes, cañas, etc.
habían bajado de *had gotten out of*
redes (f) aparejos para cazar o pescar
alejara (alejar) apartarse o irse a mucha distancia de un sitio
honda profundo, bajo
echen (- ar) lanzar, arrojar
pescar recoger peces
hicieron señas *they signalled*
les faltaba poco *they were about ...*
hundirse irse al fondo del mar o de un recipiente lleno de líquido
se puso de rodillas *knelt down*
¡Apártate de mí ...¡ *Go away from me ...!*
asustados temerosos, llenos de miedo

B. ¿SI o NO? Read each statement and indicate if it is **Verdadero** (V) or **Falso** (F). If the statement is false, correct it. If it is true, add a comment about the statement.

1. _____ Jesús y sus discípulos están solos.

2. _____ La gente está allí para comprar pescado.

3. _____ Jesús ve dos barcas en la playa.

4. _____ Al principio las barcas están vacías porque los pescadores no recogieron nada.

5. _____ Jesús está enseñando a la gente.

6. _____ Llevan las barcas a tierra para pescar otra vez.

7. _____ Simón quiere volver a pescar.

8. _____ Llenan las barcas con pescado.

9. ____ Las barcas casi se hunden a causa de la multitud.

_____

10. ____ Cuando vuelven a tierra los pescadores se van con Jesús.

_____

C. PREGUNTAS. Answer the following questions with complete sentences.

1. ¿Por qué había tanta gente en la playa?

_____

2. ¿Por qué se sentía apretujado Jesús?

_____

3. ¿Qué iban a hacer los pescadores después de bajar de las barcas?

_____

4. ¿Adónde fue Jesús para enseñar a la gente?

_____

5. ¿Adónde fueron los pescadores para pescar por segunda vez?

_____

6. ¿Por qué no quería volver a pescar Simón?

_____

7. ¿Qué les pasó a las redes cuando recogieron tanto pescado?

_____

8. ¿Qué pasó con las barcas?

_____

9. ¿Quién se arrepentió por no haber creído en Jesús?

_____

10. ¿Qué hicieron al regresar a tierra?

_____

D. VOCABULARIO. Based on the context of the passage, match the words or expressions that are most closely associated.

____ 1. echar	a.	pescado
____ 2. apretujado	b.	lago
____ 3. orillas	c.	redes
____ 4. asustado	d.	multitud
____ 5. recoger	e.	miedo

E. APLICACIÓN DEL VOCABULARIO. Select the word or expression from the **glosario** that best completes the meaning of each sentence. If necessary, change the word or expression to the appropriate form.

1. Bajaron en la cueva hasta la parte más _____.

2. La botella estaba _____ porque los niños habían bebido toda la leche.

3. No le gustó asociarse con tales hombres, así _____ de ellos y se fue.

4. Los muchachos están muy _____ porque ven la tormenta acercarse.

5. La criada va a _____ los papeles en el cesto.

F. FRASES ORIGINALES. Write original sentences using a form of the following words or expressions.

1. orilla _____

2. red _____

3. hondo _____

4. hundirse _____

5. hacer señas _____

G. ORDEN CRONOLÓGICO. Number the following events according to their chronological order.

_____ a. Echan las redes para pescar.

_____ b. Jesús sube a una de las barcas.

_____ c. Los pescadores tienen miedo.

_____ d. Recogen mucho pescado.

_____ e. Jesús ve dos barcas en la playa.

_____ f. Llevan la barca a la parte más honda del lago.

_____ g. Jesús enseña a la gente.

H. SUMARIO. In Spanish, briefly summarize this passage.

_____

_____

_____

_____

_____

_____

_____

I. EXPLICACIÓN DEL TEXTO. Read the following excerpt from the passage and tell, in Spanish, what these words meant for Simon.

> No tengas miedo; desde ahora vas a pescar
> hombres.

_____

_____

_____

_____

_____

J. COMPOSICIÓN Y CONVERSACIÓN. The following comments and questions are for written or oral reflection.

1. Al principio los pescadores no habían recogido nada pero, más tarde, con la ayuda de Jesús, tuvieron mucho éxito. Aprendieron que todo es posible con la ayuda de Jesús. ¿Le ha pasado a Ud. lo mismo alguna vez? ¿Ha tenido éxito con la ayuda de Jesús? ¿Cómo le ha ayudado?

2. Simón tenía vergüenza de no haber tenido fe en Jesús, y dijo, "¡... soy un pecador!" Muchas personas creen que no son dignos de ser discípulos de Jesús porque son pecadores. Cuando alguien se siente así, ¿qué puede Ud decirle para convencerle que no tiene razón? ¿Qué razones le puede dar para convencerle de que está equivocado?

LENGUAJE HUMANO EN PALABRA DE DIOS

Mateo 2. 1–12
La visita de los sabios del Oriente

A. LEER. In this passage Matthew tells how the three Wise Men from the East followed the star of Bethlehem to pay homage to Jesus.

¹ Jesús nació en Belén, un pueblo de la región de Judea, en el tiempo en que Herodes era rey del país. Llegaron por entonces° a Jerusalén unos sabios° del Oriente que se dedicaban al° estudio de las estrellas, ² y preguntaron:

—¿Dónde está el rey de los judíos que ha nacido? Pues vimos salir su estrella y hemos venido a adorarlo.

³ El rey Herodes se inquietó° mucho al oír esto, y lo mismo les pasó a todos los habitantes de Jerusalén. ⁴ Mandó el rey llamar a todos los jefes de los sacerdotes° y a los maestros de la ley, y les preguntó dónde había de nacer° el Mesías. ⁵ Ellos le dijeron:

—En Belén de Judea; porque así lo escribió el profeta:

⁶ 'En cuanto a ti, Belén, de la tierra de Judá,
   no eres la más pequeña
   entre las principales ciudades de esa tierra;
   porque de ti saldrá un gobernante°
   que guiará° a mi pueblo Israel.'

⁷ Entonces Herodes llamó en secreto a los sabios, y se informó por ellos del tiempo exacto en que había aparecido la estrella. ⁸ Luego los mandó a Belén, y les dijo:

—Vayan allá, y averigüen° todo lo que puedan acerca de ese niño; y cuando lo encuentren, avísenme,° para que yo también vaya a adorarlo.

⁹ Con estas indicaciones del rey, los sabios se fueron. Y la estrella que habían visto salir iba delante de ellos, hasta que por fin se detuvo° sobre el lugar donde estaba el niño. ¹⁰ Cuando los sabios vieron la estrella, se alegraron mucho. ¹¹ Luego entraron en la casa, y vieron al niño con María, su madre; y arrodillándose° lo adoraron. Abrieron sus cofres° y le ofrecieron oro, incienso° y mirra.° ¹² Después, advertidos en sueños de que

no debían volver a donde estaba Herodes, regresaron a su tierra por otro camino.

GLOSARIO

por entonces *at that time*

sabios (m)   magos, reyes, personas con mucha sabuduría y conocimiento

se dedicaban al (-arse)   consagrarse a un determinado oficio o actividad

se inquietó (-arse)   perder la tranquilidad, la paz

sacerdotes - (m)   clérigo, cura, ministro de Dios

había de nacer *was (supposed) to be born*

gobernante (m)   el que manda con autoridad

guiará (-ar)   ir delante mostrando el camino a otro

averigüen (-ar)   estudiar, investigar, preguntar para descubrir la verdad

avísenme (-ar)   dar noticia, advertir

se destuvo (detenerse)   pararse en un determinado sitio

arrodillándose (-arse)   ponerse de rodillas

cofres (m)   cajas fuertes, baúles o cajas valiosas

incienso (m)   lo que se quema como perfume en las ceremonias religiosas

mirra (f)   bálsamo muy preciado

B. ¿SÍ o NO? Read each statement and indicate if it is **Verdadero** (V) or **Falso** (F). If the statement is false, correct it. If it is true, add a comment about the statement.

1. _____ Judea es una región en Belén.
_____

2. _____ Los sabios llegan a Jerusalén desde el Oriente.
_____

3. _____ Los sabios vienen para adorar a Herodes.
_____

4. _____ Herodes se alegra al oír lo que le dicen los sabios.
_____

5. _____ Los sacerdotes y los maestros informan a Herodes dónde ha de nacer Jesús.
_____

6. _____ Saben dónde ha de nacer porque lo escribió el Mesías.
_____

7. ____ Herodes quiere saber todo lo posible acerca del niño.

8. ____ Los sabios siguen la estrella hasta el lugar del nacimiento de Jesús.

9. ____ Le dan al niño sus regalos.

10. ____ Regresan a Herodes por otro camino.

C. PREGUNTAS. Answer the following questions with complete sentences.

1. ¿Dónde nació Jesús?

2. ¿Quién era rey del país en aquellos tiempos?

3. ¿De dónde llegaron los sabios?

4. ¿Para qué vinieron los sabios?

5. ¿Cómo reaccionaron Herodes y los habitantes de Jerusalén cuando oyeron las palabras de los sabios?

6. ¿Quiénes informaron a Herodes de dónde había de nacer Jesús?

7. ¿Dónde se detuvo la estrella?

8. ¿Qué hicieron los sabios al ver a Jesús?

9. ¿Qué regalos le ofrecieron al niño?

10. ¿Por qué no volvieron a ver a Herodes?

D. VOCABULARIO. Based on the context of the passage, match the words or expressions that are most closely associated.

___ 1. se dedicaban   a. el niño

___ 2. cofres   b. maestros de la ley

___ 3. Mesías   c. Oriente

___ 4. Belén   d. estudio de las estrellas

___ 5. los sabios   e. oro, incienso, mirra

___ 6. sacerdotes   f. ciudad

E. APLICACIÓN DEL VOCABULARIO. Select the word or expression from the **glosario** that best completes the meaning of each sentence. If necessary, change the word or expression to the appropriate form.

1. El juez trató de _____ la verdad en base a lo que había oído de todos los testigos.

2. Mi compañero me _____ del peligro, pero no le hice caso.

3. Apliqué los frenos, pero el coche no _____ a tiempo para evitar el choque.

4. Esa mujer _____ la medicina y es muy respetada de todos sus pacientes.

5. El gobernador _____ cuando vio la manifestación que protestaba sus nuevas pólizas.

F. FRASES ORIGINALES. Write original sentences using a form of the following words.

1. guiar _____

2. arrodillarse _____

3. incienso _____

4. sabios _____

5. había de nacer _____

G. ORDEN CRONOLÓGICO. Number the following events according to their chronological order.

_____ a. Los sabios fueron a Belén.

_____ b. Herodes se inquietó.

_____ c. Los sabios volvieron a su tierra.

_____ d. Los sabios llegaron a Jerusalén.

_____ e. Los sabios ofrecieron sus regalos al niño.

_____ f. Herodes mandó a los sabios a Belén.

_____ g. Los sabios vieron a Jesús.

H. SUMARIO. In Spanish, briefly summarize this passage.

_____

_____

_____

_____

_____

_____

_____

I. EXPLICACIÓN DEL TEXTO. Read the following excerpt from the passage and tell, in Spanish, why the prophet's words upset Herod.

> En cuanto a ti, Belén, de la tierra de Judá,
> no eres la más pequeña
> entre la principales ciudades de esa tierra;
> porque de ti saldrá un gobernante
> que guiará a mi pueblo Israel.

_____

_____

_____

_____

_____

J. COMPOSICIÓN Y CONVERSACIÓN. The following comments and questions are for written or oral reflection.

1. A Herodes y a los habitantes de Jerusalén no les gustaron lo que los sabios les dijeron del «rey de los judíos que ha nacido.» En nuestro mundo hoy en día mucha gente también se inquieta al oír de Jesús y de su mensaje de salvación. ¿Por qué no quiere aceptar a Jesús esta gente? ¿Por qué tienen miedo de Jesús?

2. Los sabios del Oriente vinieron para adorar a Jesús. Le regalaron oro, incienso y mirra. ¿Cómo podemos nosotros, en nuestras vidas, adorar a Jesús? ¿Qué regalos le podemos ofrecer? ¿Es necesario que nuestros regalos sean objetos o bienes?

LENGUAJE HUMANO EN PALABRA DE DIOS

Lucas 10. 25–37
Parábola del buen samaritano

A. LEER. In this passage Jesus tells of a man who stopped to help someone in need.

²⁵ Un maestro de la ley fue a hablar con Jesús, y para ponerlo a prueba°
le preguntó:

—Maestro, ¿qué debo hacer para alcanzar la vida eterna?

²⁶ Jesús le contestó:

—¿Qué está escrito en la ley? ¿Qué es lo que lees?

²⁷ El maestro de la ley contestó:

—Ama al Señor tu Dios con todo tu corazón, con toda tu alma,° con
todas tus fuerzas° y con toda tu mente; y ama a tu prójimo como a ti
mismo.

²⁸ Jesús le dijo:

—Has contestado bien. Si haces eso, tendrás la vida.

²⁹ Pero el maestro de la ley, queriendo justificar su pregunta, dijo a
Jesús:

—¿Y quién es mi prójimo?°

³⁰ Jesús entonces le contestó:

—Un hombre iba por el camino de Jerusalén a Jericó, y unos bandidos°
lo asaltaron y le quitaron hasta la ropa; lo golpearon y se fueron, dejándolo
medio muerto. ³¹ Por casualidad,° un sacerdote° pasaba por el mismo
camino; pero al verle, dio un rodeo° y siguió adelante.° ³² También un
levita llegó a aquel lugar, y cuando le vio, dio un rodeo y siguió adelante.
³³ Pero un hombre de Samaria que viajaba por el mismo camino, al verle,
sintió compasión. ³⁴ Se acercó a él, le curó las heridas° con aceite y vino, y
le puso vendas.° Luego lo subió en su propia cabalgadura,° lo llevó a un
alojamiento° y lo cuidó. ³⁵ Al día siguiente, el samaritano sacó dos
monedas, se las dio al dueño° del alojamiento y le dijo: 'Cuide a este
hombre, y si gasta usted algo más, yo se lo pagaré cuando vuelva.' ³⁶ Pues
bien, ¿cuál de esos tres te parece que fue el prójimo del hombre asaltado

por los bandidos?

³⁷ El maestro de la ley contestó:

—El que tuvo compasión de él.

Jesús le dijo:

—Pues ve y haz tú lo mismo.

GLOSARIO

ponerlo a prueba *to put (him) to the test, to try*

alma (f) substancia espiritual que forma el cuerpo humano

fuerzas (f) vigor, poder

prójimo (m) cercano a uno por parentesco o amistad, y con quien se tiene una obligación moral

bandidos (m) ladrones, los que roban

Por casualidad *By accident, By chance*

sacerdote (m) cura, padre, líder espiritual

dio un rodeo *(he) turned around*

siguió adelante *(he) continued on, kept going*

heridas (f) daño corporal, hecho por un golpe o accidente

vendas (f) se aplican al cuerpo para curar las cortaduras

cabalgadura (f) bestia de carga

alojamiento (m) hospedaje, donde un viajero puede pasar la noche

dueño (m) el que tiene la propiedad de alguna cosa

B. ¿SÍ o NO? Read each statement and indicate if it is **Verdadero** (V) or **Falso** (F). If the statement is false, correct it. If it is true, add a comment about the statement.

1. _____ El maestro de la ley contesta bien la pregunta de Jesús.

   _____

2. _____ El maestro sólo le hace una pregunta a Jesús.

   _____

3. _____ Un hombre viaja de Jericó a Jerusalén.

   _____

4. _____ El hombre que va de camino se muere.

   _____

5. _____ Un sacerdote ayuda al hombre.

   _____

6. _____ El samaritano lo cuida.

_____

7. _____ El maestro sabe lo que está escrito en la ley.

_____

8. _____ El hombre de Samaria lo cuida y lo deja en el camino.

_____

9. _____ Para obtener la vida eterna hay que amar a Dios y a tu vecino.

_____

10. _____ El samaritano piensa volver a visitar al herido.

_____

C. PREGUNTAS. Answer the following questions with complete sentences.

1. ¿Qué le preguntó el maestro a Jesús?

_____

2. ¿Quiénes asaltaron al viajero?

_____

3. ¿Qué le hicieron al viajero?

_____

4. ¿Cómo lo dejaron?

_____

5. ¿Cómo curó el samaritano al hombre herido ?

_____

6. ¿Dónde lo subió?

_____

7. ¿Dónde lo llevó?

_____

8. ¿Qué le dio al dueño del alojamiento?

_____

9. ¿Cuándo le pagará al dueño si gasta más dinero?

_____

10. ¿Qué le dice Jesús al maestro al final?

_____

D. VOCABULARIO. Based on the context of the passage, match the words or expressions that are most closely associated.

_____ 1 corazón		a.	vendas
_____ 2. bandidos		b.	vida eterna
_____ 3. heridas		c.	vino
_____ 4. viajar		d.	alma
_____ 5. aceite		e.	alojamiento
_____ 6. alcanzar		f.	golpearon
_____ 7. dueño		g.	camino

E. APLICACIÓN DEL VOCABULARIO. Select the word or expression from the **glosario** that best completes the meaning of each sentence. If necessary, change the word or expression to the appropriate form.

1. El soldado sufrió una _____ grave en la guerra.

2. Al _____ le gusta decir la misa.

3. Le pusieron una _____ en el brazo para proteger la herida.

4. A causa del festival no encontramos _____ en el pueblo.

5. El granjero llevó su cosecha cargada en su _____.

F. FRASES ORIGINALES. Write original sentences using a form of the following words.

1. prójimo _____

2. alma _____

3. fuerza _____

4. por casualidad _____

5. dar un rodeo_____

G. ORDEN CRONOLÓGICO. Number the following events according to their chronological order.

_____ a. El samaritano le da dinero al dueño del alojamiento.

_____ b. El maestro de la ley pone a prueba a Jesús.

_____ c. Un hombre viaja a Jericó.

_____ d. El samaritano lleva al hombre al alojamiento.

_____ e. Un sacerdote ve al hombre herido.

_____ f. El samaritano sube al hombre en su cabalgadura.

H. SUMARIO. In Spanish, briefly summarize this passage.

_____

_____

_____

_____

_____

_____

_____

I. EXPLICACIÓN DEL TEXTO. Read the following excerpt from the passage and tell, in Spanish, what Jesus is instructing us to do.

Pues ve y haz tú lo mismo.

_____

_____

_____

_____

_____

J. COMPOSICIÓN Y CONVERSACIÓN. The following comments and questions are for written or oral reflection.

1. En la parábola unos bandidos asaltaron a un hombre inocente. Se ve lo mismo en nuestro mundo hoy en día. Hay mucha violencia y muchos conflictos. En su opinión, ¿por qué hay tanta violencia? ¿Hay algo que se pueda hacer para poner fin a ella? En su propia vida, ¿qué puede hacer para responder a este problema?

2. Describa una situación en la que Ud. necesitó ayuda y alguien le ayudó. ¿Qué le pasó a Ud.? ¿Cómo le ayudó esa persona? ¿Cómo se sintió Ud. después?

3. Jesús nos dice que tenemos que amar a Dios y a nuestro prójimo. ¿Cuáles son algunas de las maneras de amar a un prójimo? ¿Quién es nuestro prójimo? ¿Es difícil amarle?

LENGUAJE HUMANO EN PALABRA DE DIOS

Marcos 6. 30–44
Jesús da de comer a cinco mil hombres

A. LEER. In this passage from Mark we read of the miracle of the loaves and fishes.

30 Después de esto, los apóstoles se reunieron con Jesús y le contaron todo lo que habían hecho y enseñado. 31 Jesús les dijo:

—Vengan, vamos nosotros solos a descansar un poco en un lugar tranquilo.

Porque iba y venía tanta gente, que ellos ni siquiera tenían tiempo para comer. 32 Así que Jesús y sus apóstoles se fueron en una barca° a un lugar apartado°. 33 Pero muchos los vieron ir, y los reconocieron; entonces de todos los pueblos corrieron allá, y llegaron antes que ellos. 34 Al bajar Jesús de la barca, vio la multitud, y sintió compasión de ellos, porque estaban como ovejas° que no tienen pastor;° y comenzó a enseñarles muchas cosas. 35 Por la tarde, sus discípulos se le acercaron° y le dijeron:

—Ya es tarde, y éste es un lugar solitario. 36 Despide° a la gente, para que vayan por los campos y las aldeas de alrededor° y se compren algo de comer.

37 Pero Jesús les contestó:

—Denles ustedes de comer.°

Ellos respondieron:

—¿Quieres que vayamos a comprar doscientos denarios° de pan, para darles de comer?

38 Jesús les dijo:

—¿Cuántos panes tienen ustedes? Vayan a verlo.

Cuando lo averiguaron,° le dijeron:

—Cinco panes y dos pescados.

39 Entonces mandó que la gente se sentara en grupos sobre la hierba° verde; 40 y se sentaron en grupos de cien y de cincuenta. 41 Luego Jesús tomó en sus manos los cinco panes y los dos pescados y, mirando al cielo, dio gracias° a Dios, partió° los panes y se los dio a sus discípulos para que los repartieran° entre la gente. Repartió también los dos pescados entre

todos. ⁴² Todos comieron hasta quedar satisfechos,° ⁴³ y todavía llenaron doce canastas° con los pedazos° sobrantes° de pan y de pescado. ⁴⁴ Los que comieron de aquellos panes fueron cinco mil hombres.

GLOSARIO

barca (f)   embarcación pequeña
apartado   separado, alejado
ovejas (f)   hembra del carnero, animal del cual se consigue la lana
pastor (m)   persona que guarda el ganado
se le acercaron (-arse)   ponerse cerca
Despide (despedir)   decir adiós
aldeas de alrededor   *the surrounding villages*
denles ustedes de comer   *feed them*
denarios (m)   moneda romana de plata
averiguaron (-ar)   descubrir la verdad
hierba (f)   planta verde que cubre los campos
dio gracias   *gave thanks*
partió (-ir)   dividir una cosa en dos o más partes
repartieran (-ir)   distribuir entre varios una cosa
hasta quedar satisfechos   *until they were satisfied, full*
canastas (f)   cestos redondos y anchos
pedazos (m)   partes de una cosa separadas del todo
sobrantes   que excede

B. ¿SÍ o NO? Read each statement and indicate if it is **Verdadero** (V) or **Falso** (F). If the statement is false, correct it. If it is true, add a comment to the statement.

1. _____ Jesús y sus apóstoles quieren descansar.

_____

2. _____ No pueden encontrar un sitio tranquilo.

_____

3. _____ Jesús y sus apóstoles se van en una barca.

_____

4. _____ Jesús se enoja al ver a la multitud.

_____

5. _____ Hay muchas ovejas en el campo.

_____

6. _____ Los apóstoles recomiendan que la gente se vaya.

_____

7. _____ Jesús dice a los apóstoles que den de comer a la gente.

_____

8. _____ Los apóstoles van a comprar pan.

_____

9. _____ No tienen ningún alimento.

_____

10. _____ Muchos tienen hambre al final.

_____

C. PREGUNTAS. Answer the following questions with complete sentences.

1. ¿Adónde querían ir Jesús y sus apóstoles para descansar?

_____

2. ¿Por qué no podían descansar?

_____

3. ¿Cómo se fueron a un lugar apartado?

_____

4. ¿Cuándo querían los apóstoles que Jesús despidiera a la gente?

_____

5. ¿Por qué querían los apóstoles que la gente se fuera?

_____

6. ¿Cuánta comida tenían al principio?

_____

7. ¿Dónde se sentó la gente?

_____

8. ¿A quién dio gracias Jesús antes de partir los panes?

_____

9. ¿Dónde metieron los pedazos sobrantes?

_____

10. ¿Cuánta gente comió con Jesús y sus apóstoles?

_____

D. VOCABULARIO. Based on the context of the passage, match the words or expressions that are most closely associated.

_____ 1. descansar	a. pastor
_____ 2. barca	b. sobrantes
_____ 3. ovejas	c. aldeas de alrededor
_____ 4. campos	d. lugar tranquilo
_____ 5. panes	e. lugar apartado
_____ 6. pedazos	f. pescados

E. APLICACIÓN DEL VOCABULARIO. Select the word or expression from the **glosario** that best completes the meaning of each sentence. If necessary, change the word or expression to the appropriate form.

1. Recogieron los _____ del vaso roto y los metieron en el cesto.

2. El juez trata de _____ la verdad.

3. Todos los niños gozaban de la _____ verde del campo.

4. La cocinera _____ el pastel en ocho pedazos.

5. Los pescadores subieron a la _____ para ir de pesca.

F. FRASES ORIGINALES. Write original sentences using a form of the following words.

1. contar _____

2. acercarse _____

3. repartir _____

4. dar gracias _____

5. dar de comer _____

G. ORDEN CRONOLÓGICO. Number the following events according to their chronological order.

_____ a. Jesús enseña a la gente.

_____ b. Reparten la comida con la gente.

_____ c. Los apóstoles cuentan a Jesús lo que han hecho.

_____ d. Van a un lugar tranquilo.

_____ e. Llenan las canastas con los pedazos sobrantes.

_____ f. Los apóstoles averigüan cuántos panes tienen.

H. SUMARIO. In Spanish, briefly summarize this passage.

_____

_____

_____

_____

_____

_____

_____

I. EXPLICACIÓN DEL TEXTO. Read the following excerpt from the passage and tell, in Spanish, what these words teach us about Jesus.

> … y sintió compasión de ellos, porque estaban
> como ovejas que no tienen pastor…

_____

_____

_____

_____

J. COMPOSICIÓN Y CONVERSACIÓN. The following comments and questions are for written or oral reflection.

1. Jesús dio de comer a la multitud de cinco mil aquel día. Sigue dándonos de comer en la actualidad. Damos gracias a Dios por la comida que tomamos, pero ¿qué más nos da para que tengamos vida? ¿Qué otra clase de alimento nos ofrece? ¿Por qué es necesaria la comida espiritual?

2. Todos los padres tratan de enseñarles a sus hijos a compartir, pero, por lo general, los niños son celosos de sus bienes y no los quieren compartir. En esta lección vimos a Jesús repartiendo los panes y pescados entre toda la gente. En nuestras vidas sabemos que algunas veces es difícil compartir. Piense Ud. en alguien que es generoso, que comparte lo que tiene, y describa a esa persona.

LENGUAJE HUMANO EN PALABRA DE DIOS

Mateo 25. 14–30
La parábola del dinero

A. LEER. In this parable we read of how three servants used the money given them by their master.

14 "El reino de Dios es como un hombre que, estando a punto de° irse a otro país, llamó a sus empleados y les encargó° que le cuidaran su dinero. 15 A uno de ellos le entregó cinco mil monedas, a otro dos mil y a otro mil: a cado uno según su capacidad. Entonces se fue de viaje. 16 El empleado que recibió las cinco mil monedas, hizo negocio° con el dinero y ganó otras cinco mil monedas. 17 Del mismo modo,° el que recibió dos mil, ganó otras dos mil. 18 Pero el que recibió mil, fue y escondió° el dinero de su jefe en un hoyo° que hizo en la tierra.

19 "Mucho tiempo después volvió el jefe de aquellos empleados, y se puso a hacer cuentas° con ellos. 20 Primero llegó el que había recibido las cinco mil monedas, y entregó, a su jefe otras cinco mil, diciéndole: 'Señor, usted me dio cinco mil, y aquí tiene° otras cinco mil que gané.' 21 El jefe le dijo: 'Muy bien, eres un empleado bueno y fiel;° ya que fuiste fiel en lo poco, te pondré a cargo de° mucho más. Entra y alégrate conmigo.' 22 Después llegó el empleado que había recibido las dos mil monedas, y dijo: 'Señor, usted me dio dos mil, y aquí tiene otras dos mil que gané.' 23 El jefe le dijo: 'Muy bien, eres un empleado bueno y fiel; ya que fuiste fiel en lo poco, te pondré a cargo de mucho más. Entra y alégrate conmigo.'

24 "Pero cuando llegó el empleado que había recibido las mil monedas, le dijo a su jefe: 'Señor, yo sabía que usted es un hombre duro,° que cosecha° donde no sembró° y recoge donde no esparció.° 25 Por eso tuve miedo, y fui y escondí su dinero en la tierra. Pero aquí tiene lo que es suyo.' 26 El jefe le contestó: 'Tú eres un empleado malo y perezoso, pues si sabías que yo cosecho donde no sembré y que recojo donde no esparcí, 27 deberías haber llevado mi dinero al banco, y yo, al volver, habría recibido mi dinero más los intereses.'° 28 Y dijo a los que estaban allí: 'Quítenle las mil monedas, y dénselas al que tiene diez mil. 29 Porque al que

tiene, se le dará más, y tendrá de sobra;° pero al que no tiene, hasta lo poco que tiene se le quitará. ³⁰ Y a este empleado inútil, échenlo fuera, a la oscuridad, donde llorará y le rechinarán° los dientes.'

GLOSARIO

a punto de *about to*
encargó (-ar) confiar una cosa al cuidado de otro
hizo negocio *invested*
Del mismo modo *In the same way*
escondió (-er) ocultar, guardar una cosa en lugar o sitio secreto
hoyo (m) concavidad o excavación en la tierra
hacer cuentas *to settle acounts*
aquí tiene *here is*
fiel que guarda fe, leal a su palabra
a cargo de *in charge of*
duro severo
cosecha (-ar) recoger los frutos de la tierra
sembró (-ar) arrojar las semillas en la tierra preparada para que germinen
esparció (-ir) separar, extender lo que está junto o amontonado
intereses (m) lucro producido por el capital; gustos o aficiones
de sobra muy abundante
rechinarán (rechinar) *to gnash*

B. **¿SÍ o NO?** Read each statement and indicate if it is **Verdadero** (V) or **Falso** (F). If the statement is false, correct it. If it is true, add a comment about the statement.

1. _____ El reino de Dios se compara con un hombre perezoso.
   _____

2. _____ Antes de salir, el jefe les da a sus empleados cinco mil monedas.
   _____

3. _____ Dos de los empleados ganan el doble de lo que reciben.
   _____

4. _____ El que mete su moneda bajo la tierra teme perderla.
   _____

5. _____ El jefe está muy satisfecho con lo que hacen los tres empleados.
   _____

6. ____ Los que ganan más se lo ofrecen al jefe.

_____

7. ____ El jefe les da a los que ganan más otras responsabilidades.

_____

8. ____ El que recibe mil monedas las lleva al banco.

_____

9. ____ Todos reciben según sus capacidades.

_____

10. ____ El jefe invita a los tres empleados a entrar.

_____

C. PREGUNTAS. Answer the following questions with complete sentences.

1. ¿Cuánto dinero les dio el jefe a sus empleados?

_____

2. ¿Adónde iba el jefe?

_____

3. ¿Cuánto tiempo estuvo de viaje el jefe?

_____

4. ¿Con quiénes estuvo contento el jefe?

_____

5. ¿Qué hizo el hombre con los que ganaron más?

_____

6. ¿Qué hizo el tercer empleado con su dinero?

_____

7. ¿Por qué no trató de ganar más el tercer empleado?

_____

8. ¿Adónde debería haber llevado el dinero el tercer empleado?

_____

9. ¿Quién recibió las mil monedas del empleado perezoso?

_____

10. ¿Qué le hicieron al tercer hombre?

_____

D. VOCABULARIO. Based on the context of the passage, match the words or expressions that are most closely associated.

_____ 1. esconder a. inútil

_____ 2. sembrar b. intereses

_____ 3. perezoso c. esparcir

_____ 4. empleado d. cosechar

_____ 5. llorar e. hoyo

_____ 6. recoger f. jefe

_____ 7. banco g. rechinar los dientes

E. APLICACIÓN DEL VOCABULARIO. Select the word or expression from the **glosario** that best completes the meaning of each sentence. If necessary, change the word or expression to the appropriate form.

1. Siempre cumple con su palabra; es muy _____.

2. Mi hermano _____ sus cintas para que yo no las encuentre.

3. Todos dicen que exige demasiado; es muy _____.

4. El perro metió el hueso en _____ y luego lo cubrió.

5. En la primavera a mi padre le gusta _____ las semillas en su jardín.

F. FRASES ORIGINALES. Write original sentences using a form of the following words.

1. encargar _____

2. cosechar _____

3. esparcir _____

4. aquí tiene _____

5. de sobra _____

G. ORDEN CRONOLÓGICO. Number the following events according to their chronological order.

_____ a. El empleado que recibió mil monedas las esconde en un hoyo.

_____ b. El jefe vuelve de su viaje.

_____ c. El que recibió cinco mil se las devuelve al jefe.

_____ d. El jefe echa al empleado perezoso a la oscuridad.

_____ e. El jefe da dinero a tres empleados.

_____ f. El que recibió dos mil se las entrega al jefe.

_____ g. El jefe se va.

H. SUMARIO. In Spanish, briefly summarize this passage.

_____

_____

_____

_____

_____

_____

_____

I. EXPLICACIÓN DEL TEXTO. Read the following excerpt from the passage and tell, in Spanish, how these words are both demanding and comforting.

> A uno de ellos le entregó cinco mil monedas, a otro dos mil y a otro mil: a cada uno según su capacidad.

_____

_____

_____

_____

_____

J. COMPOSICIÓN Y CONVERSACIÓN. The following comments and questions are for written or oral reflection.

1. Cada persona tiene sus propias capacidades y su propio talento. ¿En qué puede Ud. demostrar su talento? No sea humilde o modesto, porque sus capacidades vienen de Dios, ¿verdad? ¿Le da gracias a Dios por ese talento? ¿Desarrolla su talento en algo? ¿Lo comparte con otros?

2. El jefe se enojó cuando supo que uno de sus empleados escondió su dinero en un hoyo. ¿Cuál es su reacción hacia los que no desarrollan su talento? ¿Qué piensa de la gente perezosa? Muchas veces los padres y profesores se enojan si sus hijos o alumnos no trabajan duro. ¿Entiende Ud. esta reacción? ¿Es justa?

3. Esta parábola es una de las muchas que cuenta Jesús. ¿Para qué sirven las parábolas? ¿Son fáciles de entender? ¿Qué nos enseña esta parábola acerca del reino de Dios?

LENGUAJE HUMANO EN PALABRA DE DIOS

Lucas 2. 1–20
Nacimiento de Jesús

A. LEER. In this passage Luke recounts the birth of Jesus.

¹ Por aquel tiempo, el emperador Augusto ordenó que se hiciera un censo de todo el mundo. ² Este primer censo° fue hecho siendo Cirenio gobernador de Siria. ³ Todos tenían que ir a inscribirse° a su propio pueblo.

⁴ Por esto, José salió del pueblo de Nazaret, de la región de Galilea, y se fue a Belén, en Judea, donde había nacido el rey David, porque José era descendiente de David. ⁵ Fue allá a inscribirse, junto con María, que estaba comprometida° para casarse con él y se encontraba encinta.° ⁶ Y sucedió que mientras estaban en Belén, le llegó a María el tiempo de dar a luz.° ⁷ Y allí nació su primer hijo, y lo envolvió° en pañales° y lo acostó en el establo,° porque no había alojamiento° para ellos en el mesón.°

⁸ Cerca de Belén había unos pastores° que pasaban la noche en el campo cuidando sus ovejas. ⁹ De pronto° se les apareció un ángel del Señor, y la gloria del Señor brilló° alrededor de ellos; y tuvieron mucho miedo. ¹⁰ Pero el ángel les dijo: "No tengan miedo, porque les traigo una buena noticia, que será motivo de gran alegría para todos: ¹¹ Hoy les ha nacido en el pueblo de David un salvador, que es el Mesías, el Señor. ¹² Como señal,° encontrarán ustedes al niño envuelto en pañales y acostado en un establo."

¹³ En aquel momento aparecieron, junto al ángel, muchos otros ángeles del cielo, que alababan° a Dios y decían:

¹⁴ "¡ Gloria a Dios en las alturas!°

¡ Paz en la tierra entre los hombres que gozan
de° su favor!"

¹⁵ Cuando los ángeles se volvieron al cielo, los pastores comenzaron a decirse unos a otros:

—Vamos, pues, a Belén, a ver esto que ha sucedido y que el Señor nos ha anunciado.

¹⁶ Fueron de prisa° y encontraron a María y a José, y al niño acostado en el establo. ¹⁷ Cuando lo vieron, se pusieron a contar° lo que el ángel les

había dicho acerca del niño, [18] y todos los que lo oyeron se admiraban de lo que decían los pastores. [19] María guardaba todo esto en su corazón, y lo tenía muy presente.° [20] Los pastores, por su parte, regresaron dando gloria y alabanza a Dios por todo lo que habían visto y oído, pues todo sucedió como se les había dicho.

GLOSARIO

censo (m)   lista que se hace de las personas y haciendas en un registro público
inscribirse   apuntarse en un censo
comprometida   pacto antes del matrimonio
encinta   embarazada; mujer que va a tener un bebé
dar a luz   *to give birth*
envolvió (-er)   cubrir o ceñir un objeto con tela o papel
pañales (m)   sabanilla en que se envuelve a los niños de teta
establo (m)   lugar cubierto en que se encierra el ganado
alojamiento (m)   hospedaje, cuarto para viajeros
mesón (m)   posada, casa pública para viajeros
pastores (m)   personas que guardan el ganado
de pronto   de repente
brilló (-ar)   resplandecer, despedir rayos de luz
señal (f)   marca que hay o se pone en las cosas para distinguirlas
alababan (-ar)   elogiar, decir buenas cosas del algo o alguien
alturas (f)   región del aire, considerada a cierta distancia sobre la tierra
gozan de   *enjoy*
de prisa   rápidamente
se pusieron a contar   comenzaron a decir
lo tenía muy presente   *pondered it*

B. **¿SÍ o NO?** Read each statement and indicate if it is **Verdadero** (V) or **Falso** (F). If the statement is false, correct it. If it is true, add a comment about the statement.

1. _____ Cirenio ordena el censo.

_____

2. _____ Para inscribirse todo el mundo va a Nazaret.

_____

3. _____ María es descendiente de David.

_____

4. _____ José y María viajan juntos a Belén.

_____

5. _____ Jesús nace en un mesón.

_____

6. _____ Unos pastores ven a un ángel.

_____

7. _____ El ángel tiene miedo al ver a los pastores.

_____

8. _____ Los pastores van a Belén para ver a Jesús.

_____

9. _____ María no oye lo que los pastores cuentan.

_____

10. _____ Los pastores se quedan en Belén porque tienen miedo.

_____

C. PREGUNTAS. Answer the following questions with complete sentences.

1. ¿Quién ordenó el censo?

_____

2. ¿Adónde fueron José y María?

_____

3. ¿De dónde salió José?

_____

4. ¿Qué le pasó a María en Belén?

_____

5. ¿En qué envolvieron a Jesús?

_____

6. ¿Por qué nació Jesús en un establo?

_____

7. ¿Qué estaban haciendo los pastores cuando se les apareció el ángel?

_____

8. ¿Cómo reaccionaron los pastores al ver al ángel?

_____

9. ¿Adónde fueron los pastores para ver al niño?

_____

10. ¿Qué le dijeron los pastores a la otra gente?

_____

D. VOCABULARIO. Based on the context of the passage, match the words or expressions that are most closely associated.

_____ 1. comprometida   a. pañales

_____ 2. envuelto   b. ovejas

_____ 3. censo   c. casarse

_____ 4. encinta   d. alabanza

_____ 5. pastores   e. inscribirse

_____ 6. alojamiento   f. dar a luz

_____ 7. gloria   g. mesón

E. APLICACIÓN DEL VOCABULARIO. Select the word or expression from the **glosario** that best completes the meaning of each sentence. If necessary, change the word or expression to the appropriate form.

1. Los burros pasaron la noche en _____.

2. Cada diez años el gobierno manda _____ de la población.

3. Las estrellas _____ muchísimo anoche.

4. La directora va a _____ a los que ganaron los premios.

5. El museo _____ las estatuas antes de enviarlas a otros museos.

F. FRASES ORIGINALES. Write original sentences using a form of the following words.

1. comprometido _____

2. alojamiento _____

3. señal _____

4. de prisa _____

5. mesón _____

G. IDENTIFICAR. Identify the person described in each statement.

1. Ordenó el censo. _____
2. Era descendiente de David. _____
3. Anunció el nacimiento de Jesús. _____
4. Era gobernador de Siria. _____
5. Estaba comprometida con José. _____

H. SUMARIO. In Spanish, briefly summarize this passage.

_____

_____

_____

_____

_____

_____

_____

I. EXPLICACIÓN DEL TEXTO. Read the following excerpt from the passage and tell, in Spanish, why the angels' greeting is still meaningful to us today.

¡Gloria a Dios en las alturas!
¡Paz en la tierra entre los hombres
que gozan de su favor!

_____

_____

_____

_____

_____

J. COMPOSICIÓN Y CONVERSACIÓN. The following comments and questions are for written or oral expression.

1. Hoy día mucha gente cree que La Navidad se ha convertido en una temporada de compras, regalos y fiestas, y que no tiene nada que ver con el nacimiento de Jesús. ¿Hemos perdido el significado verdadero del acontecimiento?

2. Jesús, el Hijo de Dios, era hombre de carne y hueso. ¿Qué efecto tiene el nacimiento de Jesús en nuestras vidas hoy día?

3. Si queremos celebrar el nacimiento de Jesús, ¿qué debemos hacer? ¿Qué actividades reflejarían una celebracion religiosa y espiritual?

LENGUAJE HUMANO EN PALABRA DE DIOS

Mateo 20. 1–16
La parábola de los trabajadores

A. LEER. In this parable Jesus tells how a man hired workers throughout the day and paid them equal amounts.

¹ "El reino de Dios es como el dueño° de una finca° que salió muy de mañana a contratar° trabajadores para su viñedo.° ² Se arregló con ellos para pagarles el jornal° de un día, y los mandó a trabajar a su viñedo. ³ Volvió a salir° como a las nueve de la mañana, y vio a otros que estaban en la plaza desocupados.° ⁴ Les dijo: 'Vayan también ustedes a trabajar a mi viñedo, y les daré lo que sea justo.' Y ellos fueron. ⁵ El dueño salió de nuevo° a eso del° mediodía, y otra vez a las tres de la tarde, e hizo lo mismo. ⁶ Alrededor de las cinco de la tarde volvió a la plaza, y encontró en ella a otros que estaban desocupados; les preguntó: '¿Por qué están ustedes aquí todo el día sin trabajar?' ⁷ Le contestaron: 'porque nadie nos ha contratado.' Entonces les dijo: 'Vayan ustedes también a trabajar a mi viñedo.'

⁸ "Cuando llegó la noche, el dueño dijo al encargado° del trabajo: 'Llama a los trabajadores, y págales comenzando por los últimos y terminando por los que entraron primero.' ⁹ Se presentaron, pues, los que habían entrado a trabajar alrededor de las cinco de la tarde, y cada uno recibió el jornal completo de un día. ¹⁰ Después, cuando les tocó el turno° a los que habían entrado primero, pensaban que iban a recibir más; pero cada uno de ellos recibió también el jornal de un día. ¹¹ Al cobrarlo°, comenzaron a murmurar° contra el dueño,   ¹² diciendo: 'Estos, que llegaron al final, trabajaron solamente una hora, y usted les ha pagado igual que a nosotros, que hemos aguantado° el trabajo y el calor de todo el día.' ¹³ Pero el dueño contestó a uno de ellos: 'Amigo, no te estoy haciendo ninguna injusticia. ¿Acaso° no te arreglaste conmigo por el jornal de un día? ¹⁴ Pues toma tu paga y vete. Si yo quiero darle a éste que entró a trabajar al final lo mismo que te doy a ti, ¹⁵ es porque tengo el derecho° de hacer lo que quiera con mi dinero. ¿O es que te da envidia° que yo sea bondadoso?'°

¹⁶ "De modo que los que ahora son los últimos, serán los primeros; y los que ahora son los primeros, serán los últimos.

GLOSARIO

dueño (m)   el que posee una cosa
finca (f)   granja, hacienda
contratar   establecer condiciones de trabajo, horas o salario
viñedo (m)   terreno plantado de vides
jornal (m)   salario diario
volvió a salir   salió otra vez
desocupados   sin trabajo, desempleados
de nuevo   otra vez
a eso del   aproximadamente
encargado (m)   jefe de un establecimiento, en representación del dueño
les tocó el turno   *it was their turn*
cobrar(lo)   recibir el salario contratado
murmurar   hablar de los defectos de los demás a sus espaldas
aguantado (-ar)   sufrido, tolerado
acaso   tal vez, quizá
derecho (m)   facultad para hacer una cosa, con arreglo a las normas morales
te da envidia   *it makes you jealous*
bondadoso   muy bueno, generoso

B. **¿SÍ o NO?** Read each statement and indicate if it is **Verdadero** (V) or **Falso** (F). If the statement is false, correct it. If it is true, add a comment about the statement.

1. _____ El dueño de la finca busca viñedos.

_____

2. _____ El dueño sale a varias horas a contratar trabajadores.

_____

3. _____ Los trabajadores cobran pagas distintas según las horas que trabajan.

_____

4. _____ Los últimos trabajan por una hora.

_____

5. _____ Les paga a los trabajadores el próximo día.

_____

6. ____ Los primeros trabajadores reciben su jornal primero.

_____

7. ____ Los primeros en entrar esperan cobrar más.

_____

8. ____ Todos se quejan de su jornal.

_____

9. ____ Hace fresco mientras trabajan en el viñedo.

_____

10. ____ El dueño es un hombre generoso.

_____

C. PREGUNTAS. Answer the following questions with complete sentences.

1. ¿Para qué salió el dueño aquella mañana?

_____

2. ¿Por cuánto dinero contrató el dueño a los primeros trabajadores?

_____

3. ¿Cuántas veces salió el dueño a contratar trabajadores?

_____

4. ¿Dónde encontró a los trabajadores?

_____

5. ¿Quién ayudó al dueño a pagar a los trabajadores?

_____

6. ¿Quiénes cobraron su jornal primero?

_____

7. ¿Por qué se quejaron los trabajadores de uno de los grupos?

_____

8. ¿Qué tiempo hacía aquel día?

_____

9. ¿Por qué podía darles el dueño la misma paga a todos?

_____

10. ¿Cómo era el dueño?

_____

D. VOCABULARIO. Based on the context of the passage, match the words or expressions that are most closely related.

_____ 1. contratar   a. injusticia

_____ 2. finca   b. calor

_____ 3. jornal   c. cobrar

_____ 4. desocupados   d. viñedo

_____ 5. aguantar   e. trabajadores

_____ 6. murmurar   f. sin trabajo

E. APLICACIÓN DEL VOCABULARIO. Select the word or expression from the **glosario** that best completes the meaning of each sentence. If necessary, change the word or expression to the appropriate form.

1. Los empleados reciben su _____ al final del día.

2. Se cultivan uvas en _____ en California.

3. Al final de la semana el mecánico fue a _____ el salario que le debía su jefe.

4. Oyeron a muchos clientes _____ de la falta de calidad de sus productos.

5. ¡Estoy hasta la coronilla de él! Es muy mal educado. No lo _____ más.

F. FRASES ORIGINALES. Write original sentences using a form of the following words.

1. contratar _____

2. finca _____

3. encargado _____

4. derecho _____

5. a eso de _____

G. ORDEN CRONOLÓGICO. Number the following events according to their chronological order.

_____ a. Unos murmuraron contra el dueño.

_____ b. Los primeros en entrar cobraron su paga y se fueron.

_____ c. El dueño volvió a la plaza a eso de las cinco.

_____ d. El encargado llamó a los trabajadores para pagarles.

_____ e. El dueño salió muy temprano a contratar trabajadores.

H. SUMARIO. In Spanish, briefly summarize this passage.

_____

_____

_____

_____

_____

_____

_____

I. EXPLICACIÓN DEL TEXTO. Read the following excerpt from the passage and tell, in Spanish, what application these words have in our lives today.

De modo que los que ahora son los últimos, serán
los primeros; y los que ahora son los primeros,
serán los últimos.

_____

_____

_____

_____

_____

J. COMPOSICIÓN Y CONVERSACIÓN. The following comments and
questions are for written or oral reflection.

1. Los que trabajaron todo el día se quejaron de su jornal. ¿Tuvieron
razón para esperar más? ¿Qué cree Ud.? ¿Puede Ud. entender su
reacción? ¿Se ha sentido Ud. igual alguna vez? Es decir, ¿ha estado
Ud. celoso de lo que recibieron otros? Describa la situación.

2. En nuestra sociedad una de las cuestiones que está a la orden del día
es la justicia. En su opinión, ¿qué es la justicia? ¿Qué
responsabilidades tenemos para crear una sociedad más justa? ¿Cómo
podemos hacerlo?

LENGUAJE HUMANO EN PALABRA DE DIOS

Lucas 7. 36–50
Jesús en casa de Simón el fariseo

A. LEER. In this passage we read of a woman who washes Jesus' feet.

36 Un fariseo invitó a Jesús a comer, y Jesús fue a su casa. Estaba sentado a la mesa, 37 cuando una mujer de mala vida que vivía en el mismo pueblo y que supo que Jesús había ido a comer a casa del fariseo, llegó con un frasco° de alabastro° lleno de perfume. 38 Llorando, se puso junto° a los pies de Jesús y comenzó a bañarlos con lágrimas.° Luego los secó° con sus cabellos,° los besó y derramó° sobre ellos el perfume. 39 El fariseo que había invitado a Jesús, al ver esto, pensó: "Si este hombre fuera de veras un profeta, se daría cuenta de qué clase de persona es ésta que lo está tocando: una mujer de mala vida." 40 Entonces Jesús le dijo al fariseo:

—Simón, tengo algo que decirte.

El fariseo contestó:

—Dímelo, Maestro.

41 Jesús siguió:

—Dos hombres le debían dinero a un prestamista.° Uno le debía quinientos denarios,° y el otro cincuenta; 42 y como no le podían pagar, el prestamista les perdonó la deuda° a los dos. Ahora dime, ¿cuál de ellos le amará más?

43 Simón le contestó:

—Me parece que el hombre a quien más le perdonó.

Jesús le dijo:

—Tienes razón.

44 Entonces, mirando a la mujer, Jesús dijo a Simón:

—¿Ves esta mujer? Entré en tu casa, y no me diste agua para mis pies; en cambio,° esta mujer me ha bañado los pies con sus lágrimas y los ha secado con sus cabellos. 45 No me besaste, pero ella, desde que entré, no ha dejado de besarme los pies.°

46 No me pusiste aceite° en la cabeza, pero ella ha derramado perfume sobre mis pies. 47 Por esto te digo que sus muchos pecados° son

perdonados, porque amó mucho; pero la persona a quien poco se le perdona, poco amor muestra.

⁴⁸ Luego dijo a la mujer:

—Tus pecados te son perdonados.

⁴⁹ Los otros invitados que estaban allí, comenzaron a preguntarse:

—¿Quién es éste, que hasta perdona pecados?

⁵⁰ Pero Jesús añadió,° dirigiéndose a la mujer:

—Por tu fe° has sido salvada; vete tranquila.

GLOSARIO

frasco (m)   vasija para tener y conservar líquido

alabastro (m)   mármol translúcido

se puso junto   *she placed herself at*

lágrimas (f)   gotas que derraman los ojos por causas morales o físicas

secó (-ar)   extraer la humedad de un cuerpo mojado

cabellos (m)   pelo

derramó (-ar)   verter, esparcir cosas líquidas; *(she) poured*

prestamista (m)   persona que da dinero a otro y cobra los intereses

denarios (m)   monedas romanas

deuda (f)   obligación que uno tiene de devolver a otro el dinero u otra cosa prestada

en cambio   *on the other hand*

no ha dejado de besarme los pies   *(she) has not stopped kissing my feet*

aceite (m)   líquido graso

pecados (m)   infracciones de qualquier precepto religioso

añadió (-ir)   agregar una cosa a otra

fe (f)   creencia de las verdades de la religión

B. **¿SÍ o NO?** Read each statement and indicate if it is **Verdadero** (V) or **Falso** (F). If the statement is false, correct it. If it is true, add a comment about the statement.

1. _____ Jesús come en la casa de la mujer de mala vida.

_____

2. _____ El fariseo baña los pies de Jesús.

_____

3. _____ La mujer se acerca a Jesús.

_____

4. _____ Ella lava los pies de Jesús primero.

_____

5. _____ Ella seca los pies de Jesús con el pelo.

_____

6. _____ El fariseo se da cuenta de la reputación de Jesús.

_____

7. _____ Simón es un prestamista.

_____

8. _____ Un hombre le debe al prestamista diez veces más que el otro.

_____

9. _____ Los invitados perdonan a la mujer.

_____

10. _____ La fe de la mujer la salva.

_____

C. PREGUNTAS. Answer the following questions with complete sentences.

1. ¿Dónde vivía la mujer?

_____

2. ¿Dónde tiene lugar este episodio?

_____

3. ¿Por qué estaba allí Jesús?

_____

4. ¿Qué llevó la mujer para lavar los pies de Jesús?

_____

5. ¿Por qué lloraba ella?

_____

6. ¿Qué derramó ella sobre los pies de Jesús?

_____

7. ¿A quién le debían dinero los hombres?

_____

8. ¿Qué les pasó cuando no pudieron pagar la deuda?

_____

9. ¿Qué le ofreció el fariseo a Jesús para sus pies?

_____

10. ¿Qué salvó a la mujer?

_____

D. VOCABULARIO. Based on the context of the passage, match the words or expressions that are most closely associated .

_____	1. lágrimas	a.	derramar
_____	2. perfume	b.	pecados
_____	3. deuda	c.	salvada
_____	4. perdonado	d.	prestamista
_____	5. fe	e.	llorar

E. APLICACIÓN DEL VOCABULARIO. Select the word or expression from the **glosario** that best completes the meaning of each sentence. If necessary, change the word or expression to the appropriate form.

1. Después de probar el caldo, mi abuela _____ un poco más de las especias.

2. Algunos clientes del restaurante prefieren su ensalada con _____ y vinagre aparte.

3. Comprendimos su pesadumbre cuando vimos las _____ en sus ojos.

4. Por lo general yo limpio los platos y mi hermano los _____.

5. Como el propietario del negocio no pudo pagar sus _____, se declaró en bancarrota.

F. FRASES ORIGINALES. Write original sentences using a form of the following words.

1. frasco _____

2. derramar _____

3. dirigirse _____

4. en cambio _____

5. darse cuenta de _____

G. ORDEN CRONOLÓGICO. Number the following events according to their chronological order.

_____ a. La mujer baña con lágrimas los pies de Jesús.

_____ b. Ella derrama perfume sobre sus pies.

_____ c. Ella se pone junto a Jesús.

_____ d. Besa los pies de Jesús.

_____ e. Seca los pies con sus cabellos.

H. SUMARIO. In Spanish, briefly summarize this passage.

_____

_____

_____

_____

_____

_____

_____

I. EXPLICACIÓN DEL TEXTO. Read the following excerpt from the passage and tell, in Spanish, why these words spoken by Jesus offer hope to all of us.

Por tu fe has sido salvada; vete tranquila.

_____

_____

_____

_____

_____

J. COMPOSICIÓN Y CONVERSACIÓN. The following comments and questions are for written or oral reflection.

1. Jesús perdonó a la mujer aunque ella había pecado. ¿Puede Ud. perdonar a los que le hacen daño a Ud.? Si Ud. le hace daño a otro, ¿le parece difícil decir «lo siento»? Relate alguna experiencia en la que Ud. ha perdonado a otro y diga si encontró difícil el perdonar. También describa algún daño que le ha causado a otra persona. ¿Cómo reaccionó esa persona? ¿Le perdonó a Ud.?

2. El fariseo que había invitado a Jesús dijo: «Si este hombre fuera de veras un profeta, se daría cuenta de qué clase de persona es ésta que lo está tocando: una mujer de mala vida.» Algunas veces nosotros no queremos ayudar a cualquiera porque tememos ser asociados con ellos. Tenemos miedo de lo que piensen nuestros amigos. Relate alguna situación en la que Ud. no quiso ayudar o defender a alguien. Relate, por otro lado, alguna experiencia en la que Ud. ayudó o defendió a alguien a pesar de los pensamientos o burlas de sus amigos.

LENGUAJE HUMANO EN PALABRA DE DIOS

Marcos 10. 17–31
Un hombre rico habla con Jesús

A. LEER. In this passage a rich man asks Jesus how to attain eternal life.

17 Cuando Jesús iba a seguir su viaje, llegó un hombre corriendo, se puso de rodillas delante de él y le preguntó:

—Maestro, bueno, ¿qué debo hacer para alcanzar° la vida eterna?

18 Jesús le contestó:

—¿Por qué me llamas bueno? Bueno solamente hay uno: Dios. 19 Ya sabes los mandamientos:° 'No mates, no cometas adulterio, no robes, no digas mentiras° en perjuicio de nadie ni engañes;° honra a tu padre y a tu madre.'

20 El hombre le dijo:

—Maestro, todo eso lo he cumplido desde joven.°

21 Jesús lo miró con cariño°, y le contestó:

—Una cosa te falta:° anda, vende todo lo que tienes y dáselo a los pobres. Así tendrás riqueza en el cielo. Luego ven y sígueme.

22 El hombre se afligió° al oír esto; y se fue triste, porque era muy rico.

23 Jesús miró entonces alrededor, y dijo a sus discípulos:

—¡Qué difícil va a ser para los ricos entrar en el reino de Dios!

24 Estas palabras dejaron asombrados° a los discípulos, pero Jesús les volvió a decir:°

—Hijos, ¡qué difícil es entrar en el reino de Dios! 25 Es más fácil para un camello° pasar por el ojo de una aguja,° que para un rico entrar en el reino de Dios.

26 Al oírlo, se asombraron más aún, y se preguntaban unos a otros:

—¿Y quién podrá salvarse?

27 Jesús los miró y les contestó:

—Para los hombres es imposible, pero no para Dios, porque para él no hay nada imposible.

28 Pedro comenzó a decirle:

—Nosotros hemos dejado todo lo que teníamos, y te hemos seguido.

29 Jesús respondió:

—Les aseguro que cualquiera que por mi causa y por causa del°
mensaje de salvación haya dejado casa, o hermanos, o hermanas, o madre,
o padre, o hijos, o terrenos, ³⁰ recibirá ahora en este mundo cien veces más
en casas, hermanos, hermanas, madres, hijos y terrenos°, aunque con
persecuciones; y en el mundo venidero° recibirá la vida eterna. ³¹ Pero
muchos que ahora son los primeros, serán los últimos; y muchos que ahora
son los últimos, serán los primeros.

GLOSARIO

alcanzar lograr un objetivo, llegar a una meta o un punto
mandamientos (m) órdenes que el superior impone a los súbditos
ni digas mentiras *do not lie (do not tell lies)*
engañes (-ar) inducir a error o equivocación
desde joven desde el tiempo que era joven
con cariño *affectionately, with affection*
te falta todavía no tienes o careces de
se afligió (afligirse) ponerse triste
asombrados con gran admiración
volvió a decir dijo ota vez
camello (m) animal del desierto
aguja (f) barrita de acero que se usa para coser
por causa del *for the sake of, on behalf of*
terrenos (m) fincas, propiedades en espacios de tierra
venidero (m) que está por venir, futuro

B. **¿SÍ o NO?** Read each statement and indicate if it is **Verdadero** (V) or **Falso** (F). If
the statement is false, correct it. If it is true, add a comment about the statement.

1. _____ Jesús va a sentarse cuando el hombre se le acerca.

    _____

2. _____ El hombre quiere saber acerca de los mandamientos.

    _____

3. _____ Jesús dice que sólo hay un mandamiento.

    _____

4. _____ El hombre ha obedecido los mandamientos.

    _____

5. _____ Jesús le dice al hombre que venda todo lo que tiene.

    _____

6. ____ El hombre es pobre.

7. ____ Al hombre le gusta lo que Jesús le dice.

8. ____ Los ricos pueden entrar en el cielo fácilmente.

9. ____ Para Dios no hay nada imposible.

10. ____ Los que dejan casa y parientes por causa de Jesús van a tener vida eterna.

C. PREGUNTAS. Answer the following questions with complete sentences.

1. ¿Qué hizo el hombre antes de hacerle su pregunta a Jesús?

2. ¿Cuál fue la pregunta inicial del hombre?

3. ¿A quién se debe honrar?

4. ¿A quién debe dar su dinero?

5. ¿Por qué se afligió el hombre al oír la respuesta de Jesús?

6. ¿Cuándo se debe seguir a Jesús?

7. ¿Qué ejemplo da Jesús de lo difícil que es para los ricos entrar en el reino de los cielos?

8. ¿Cuánto más tendrán en este mundo los que dejan todo por causa de Jesús?

9. ¿Qué recibirán en el mundo venidero?

10. ¿Qué serán los que ahora son los primeros?

D. VOCABULARIO. Based on the context of the passage, match the words or expressions that are most closely associated.

_____ 1. camello	a. con cariño
_____ 2. dejar	b. mundo venidero
_____ 3. seguir	c. No mates.
_____ 4. mandamiento	d. aguja
_____ 5. miró	e. viaje
_____ 6. vida eterna	f. casa

E. APLICACIÓN DEL VOCABULARIO. Select the word or expression from the **glosario** that best completes the meaning of each sentence. If necessary, change the word or expression to the appropriate form.

1. Los alpinistas trataron de _____ la cumbre de la montaña antes del anochecer.

2. El sastre se pinchó con _____.

3. La compañia compró muchos _____ para la construcción de nuevos edificios.

4. La policía busca al vendedor que _____ a sus clientes.

5. Dios le dio a Moisés los diez _____.

F. FRASES ORIGINALES. Write original sentences using a form of the following words.

1. afligirse _____

2. asombrado _____

3. camello _____

4. desde joven _____

5. decir mentiras _____

G. ESCOGER. Based on the passage, indicate if each of the following statements is necessary (**Sí**) or not (**No**) to gain eternal life. Be prepared to defend your answers.

1. _____ Vender todo lo que tienes.
2. _____ Ser el primero.
3. _____ Ponerse de rodillas.
4. _____ Obedecer los mandamientos.
5. _____ Preguntarle a Jesús.
6. _____ Dejar todo.
7. _____ Ser rico.
8. _____ Pasar por el ojo de una aguja.

H. SUMARIO. In Spanish, briefly summarize this passage.

_____

_____

_____

_____

_____

_____

_____

I. EXPLICACIÓN DEL TEXTO. Read the following excerpt from the passage and tell, in Spanish, why these words upset the rich man.

> Una cosa te falta: anda, vende todo lo que tienes y dáselo a los pobres.

_____

_____

_____

_____

_____

J. COMPOSICIÓN Y CONVERSACIÓN. The following comments and questions are for written or oral reflection.

1. Jesús le dice al hombre rico que venda todo y que se lo dé a los pobres. Por muchas partes del mundo se ve mucha pobreza hoy en día. ¿Tenemos una obligación o responsabilidad para con los pobres? ¿Cree Ud. que hacemos lo suficiente para con los pobres en nuestra sociedad actual? ¿Qué debemos hacer? ¿Los ayuda Ud.?

2. Jesús dice que si dejamos casa y familia por su causa, tendremos «cien veces más en casas, hermanos, hermanas, madres, hijos y terrenos, aunque con persecuciones... .» ¿Qué quieren decir estas palabras?

3. Jesús nos dice que no va a ser fácil seguirle. ¿Por qué es tan difícil? ¿Cuáles son algunas de las persecuciones que sufren los que le siguen?

LENGUAJE HUMANO EN PALABRA DE DIOS

Lucas 22. 7–23
La Cena del Señor

A. LEER. In this passage Luke tells how Jesus and His disciples shared the Last Supper.

⁷ Llegó el día de la fiesta en que se comía el pan sin levadura,° cuando se sacrificaba el cordero° de Pascua. ⁸ Jesús envió a Pedro y a Juan, diciendo:

—Vayan a prepararnos la cena de Pascua.

⁹ Ellos le preguntaron:

—¿Dónde quieres que la preparemos?

¹⁰ Jesús les contestó:

—Cuando entren ustedes en la ciudad, encontrarán a un hombre que lleva un cántaro° de agua. Síganlo hasta la casa donde entre; ¹¹ y digan al dueño° de la casa: 'El Maestro pregunta: ¿Cuál es el cuarto donde voy a comer con mis discípulos la cena de Pascua?' ¹² El les mostrará en el piso alto un cuarto grande y arreglado.° Preparen allí la cena.

¹³ Ellos fueron y encontraron todo como Jesús se lo había dicho, y prepararon la cena de Pascua.

¹⁴ Cuando llegó la hora, Jesús y los apóstoles se sentaron a la mesa. ¹⁵ Jesús les dijo:

—¡Cuánto he querido celebrar con ustedes esta cena de Pascua antes de mi muerte! ¹⁶ Porque les digo que no volveré a celebrarla° hasta que se cumpla en el reino de Dios.

¹⁷ Entonces tomó en sus manos una copa, y, habiendo dado gracias a Dios, dijo:

—Tomen esto y repártanlo° entre ustedes; ¹⁸ porque les digo que no volveré a beber° del producto de la vid,° hasta que venga el reino de Dios.

¹⁹ Después tomó el pan en sus manos y, habiendo dado gracias a Dios, lo partió y se lo dio a ellos, diciendo:

—Esto es mi cuerpo, entregado° a la muerte en favor de ustedes. Hagan esto en memoria de mí.

²⁰ Lo mismo hizo con la copa después de la cena, diciendo:

—Esta copa es el nuevo pacto confirmado con mi sangre, la cual es derramada° en favor de ustedes. ²¹ Pero ahora la mano del que me va a traicionar está aquí, con la mía, sobre la mesa. ²² Pues el Hijo del hombre ha de recorrer° el camino que se le ha señalado, pero ¡ay de aquel° que le traiciona!

²³ Entonces comenzaron a preguntarse unos a otros quién sería el traidor.

GLOSARIO

levadura (f)   masa constituida principalmente por fermentos
cordero (m)   cría de la oveja, que no pasa de un año
cántaro (m)   vasija (recipiente portátil) de barro
dueño (m)   propietario; el que posee una cosa
arreglado   ordenado, sujeto a regla
no volveré a celebrarla   *I will not celebrate it again*
repártanlo (repartir)   distribuir entre varios una cosa
no volveré a beber   *I will not drink again*
vid (f)   planta cuyo fruto es la uva
entregado (-ar)   poner una persona o cosa en manos o en poder de otro
derramada (-ar)   verter, esparcir una cosa líquida
recorrer   atravesar de un extremo a otro caminando; andar, viajar
¡ay de aquel ...!   *how terrible for the one ...!*

B. **¿SÍ o NO?** Read each statement and indicate if it is **Verdadero** (V) or **Falso** (F). If the statement is false, correct it. If it is true, add a comment about the statement.

1. ____   Para la fiesta iban a sacrificar el cordero de Pascua.

_____

2. ____   Pedro y Juan llevaron el cántaro de agua.

_____

3. ____   «El Maestro» se refiere al dueño de la casa.

_____

4. ____   El cuarto para la cena se encontraba en el primer piso.

_____

5. ____   Pedro y Juan prepararon la Cena del Señor.

_____

6. _____ Jesús invitó al dueño de la casa a la cena.

_____

7. _____ Después de tomar el pan y el vino, Jesús dio gracias a Dios.

_____

8. _____ Jesús compartió el pan y el vino con sus apostoles.

_____

9. _____ Jesús identificó a su traidor.

_____

10. _____ Los apóstoles sabían quién era el traidor.

_____

C. PREGUNTAS. Answer the following questions with complete sentences.

1. ¿Qué se sacrifica el día de la fiesta?

_____

2. ¿Cómo van a reconocer Pedro y Juan al hombre a quien deben
   seguir?

_____

3. ¿Quiénes preparan la cena?

_____

4. ¿Quiénes encuentran la casa para la fiesta?

_____

5. ¿Cómo es el cuarto donde van a comer?

_____

6. ¿Qué va a pasarle a Jesús dentro de poco?

_____

7. ¿Qué se come en la fiesta?

_____

8. ¿Con quiénes comparte Jesús la cena?

_____

9. ¿Qué les da Jesús a sus apóstoles?

_____

10. ¿Qué quieren saber los apóstoles?

_____

D. VOCABULARIO. Based on the context of the passage, match the words or expressions that are most closely associated.

_____ 1. pan   a. sangre

_____ 2. cordero   b. camino

_____ 3. reino   c. agua

_____ 4. vino   d. cuerpo

_____ 5. recorrer   e. casa

_____ 6. cántaro   f. de Dios

_____ 7. dueño   g. de Pascua

E. APLICACIÓN DEL VOCABULARIO. Select the word or expression from the **glosario** that best completes the meaning of each sentence. If necessary, change the word or expression to the appropriate form.

1. Hacía tres horas que el pastor buscaba _____ perdido.

2. Muchos turistas _____ toda la ciudad esperando ver lo máximo.

3. Tenemos la fecha, la hora y la lista de los invitados; creo que todo está _____.

4. El cartero acaba de _____ la carta que esperábamos.

5. _____ no permite animales en los apartamentos.

F. FRASES ORIGINALES. Write original sentences using a form of the following words.

1. vid _____

2. repartir _____

3. derramar _____

4. ha de recorrer _____

5. ¡ay de aquel! _____

G. IDENTIFICAR. Identify the following people from the passage.

1. El Maestro _____

2. el dueño _____

3. Pedro y Juan _____

4. los apóstoles _____

5. el traidor _____

H. SUMARIO. In Spanish, briefly summarize this passage.

_____

_____

_____

_____

_____

_____

_____

I. EXPLICACIÓN DEL TEXTO. Read the following excerpt from the passage and tell, in Spanish, what these words mean.

> Esta copa es el nuevo pacto conformado con mi
> sangre, la cual es derramada en favor de ustedes.

_____

_____

_____

_____

_____

J. COMPOSICIÓN Y CONVERSACIÓN. The following comments and
questions are for written or oral reflection.

1. Al tomar la copa y el pan en sus manos, Jesús dio gracias a Dios.
    Muchas personas y muchas familias dicen una oración a Dios antes
    de sus comidas. ¿Cree Ud. que esta costumbre es importante? ¿Le da
    Ud. gracias a Dios en otras situaciones también? ¿Cuándo? ¿Cómo?

2. «Hagan esto en memoria de mí.» Esas palabras de Cristo son
    repetidas todos los días. Son de la misa. Hay varias maneras de
    celebrar la misa, desde la forma más tradicional hasta la más
    moderna. ¿Qué clase de celebración prefiere Ud? ¿Y sus padres?
    ¿Sus abuelos?

3. Jesús nos dice que «... el Hijo del hombre ha de recorrer el camino
    que se le ha señalado... .» ¿Quién le señaló ese camino? ¿Trata Ud.
    de escuchar a Dios cuando no sabe que camino tomar? ¿Nos señala
    Dios un camino?

LENGUAJE HUMANO EN PALABRA DE DIOS

Juan 11. 28–44
Jesús llora junto al sepulcro de Lázaro
Resurrección de Lázaro

A. LEER. In this passage we see Jesus bring Lazarus back to life.

²⁸ Después de decir esto, Marta fue a llamar a su hermana María, y le dijo en secreto:

—El Maestro está aquí y te llama.

²⁹ Tan pronto como lo oyó, María se levantó y fue a ver a Jesús. ³⁰ Jesús no había entrado todavía en el pueblo; estaba en el lugar donde Marta se había encontrado con él. ³¹ Al ver que María se levantaba y salía rápidamente, los judíos que estaban con ella en la casa, consolándola, la siguieron pensando que iba al sepulcro° a llorar.

³² Cuando María llegó a donde estaba Jesús, se puso de rodillas° a sus pies, diciendo:

—Señor, si hubieras estado aquí, mi hermano no habría muerto.

³³ Jesús, al ver llorar a María y a los judíos que habían llegado con ella, se conmovió° profundamente y se estremeció,° ³⁴ y les preguntó:

—¿Dónde lo sepultaron°?

Le dijeron:

—Ven a verlo, Señor.

³⁵ Y Jesús lloró. ³⁶ Los judíos dijeron entonces:

—¡Miren cuánto lo quería!°

³⁷ Pero algunos de ellos decían:

—Este que dio la vista al ciego,° ¿no podría haber hecho algo para que Lázaro no muriera?

³⁸ Jesús, otra vez muy conmovido, se acercó a la tumba. Era una cueva, cuya entrada estaba tapada° con una piedra. ³⁹ Jesús dijo:

—Quiten la piedra.

Marta, la hermana del muerto, le dijo:

—Señor, ya debe oler mal, porque hace cuatro días que murió.

⁴⁰ Jesús le contestó:

—¿No te dije que, si crees, verás la gloria de Dios?

⁴¹ Quitaron la piedra, y Jesús, mirando al cielo, dijo:

—Padre, te doy gracias porque me has escuchado. ⁴² Yo sé que siempre me escuchas, pero lo digo por el bien de esta gente que está aquí, para que crean que tú me has enviado.

⁴³ Después de decir esto, gritó:

—¡Lázaro, sal de ahí!

⁴⁴ Y el muerto salió, con las manos y los pies atados° con vendas° y la cara envuelta° en un lienzo°. Jesús les dijo:

—Desátenlo° y déjenlo ir.

GLOSARIO

sepulcro (m) tumba
se puso de rodillas se arrodilló
se conmovió sintió emoción, *his heart was touched*
se estremeció *he was moved*
sepultaron (-ar) enterrar a los muertos en un sepulcro
quería (-er) amar
ciego (m) el que no puede ver
tapada cubierta
atados unidos, enlazados
vendas (f) bandas o tiras de tela que cubren y protegen las heridas
envuelta cubierta con tela, papel, u otra cosa análoga
lienzo (m) tela de lino o algodón
desátenlo (desatar) soltar lo atado; lo contrario de atar

B. **¿SÍ o NO?** Read each statement and indicate if it is **Verdadero** (V) or **Falso** (F). If the statement is false, correct it. If it is true, add a comment about the statement.

1. _____ Jesús llama a María.

_____

2. _____ «El Maestro» se refiere a Lázaro.

_____

3. _____ Jesús y María se encuentran en el pueblo.

_____

4. _____ Los judíos siguen a María.

_____

5. _____ María es la hermana de Lázaro.

_____

6. _____ Jesús quita la piedra de la tumba.

_____

7. _____ Hace cuatro días que Lázaro está muerto.

_____

8. _____ María dice que el cuerpo debe oler mal.

_____

9. _____ María le da gracias a su padre.

_____

10. _____ Lázaro resucita.

_____

C. PREGUNTAS. Answer the following questions with complete sentences.

1. ¿Quiénes eran las hermanas de Lázaro?

_____

2. ¿A quién llamó Jesús?

_____

3. ¿Qué hizo María cuando supo que Jesús la había llamado?

_____

4. ¿Qué hacían los judíos en la casa de María?

_____

5. ¿Qué hicieron los judíos cuando María salió?

_____

6. ¿Qué hizo María cuando se encontró con Jesús antes de hablarle?

_____

7. ¿Cómo reaccionó Jesús cuando vio a María?

_____

8. ¿Cómo era la tumba en la cual habían enterrado a Lázaro?

_____

9. ¿Cuánto tiempo llevaba muerto Lázaro en el momento en que Jesús visitó la tumba?

_____

10. ¿Qué tenía Lázaro en los pies y en la cara cuando salió de la tumba?

_____

D. VOCABULARIO. Based on the context of the passage, match the words or expressions that are most closely associated.

_____ 1. tapada   a. lloró

_____ 2. cara   b. resurrección

_____ 3. conmovió   c. atadas

_____ 4. tumba   d. lienzo

_____ 5. manos   e. piedra

_____ 6. resucitar   f. cueva

E. APLICACIÓN DEL VOCABULARIO. Select the word or expression from the **glosario** that best completes the meaning of each sentence. If necessary, change the word or expression to the appropriate form.

1. El público estaba muy _____ por el sermón elogiando al difunto.

2. Como la anciana era _____, contaba con su lazarillo para ayudarla.

3. El regalo estaba _____ por un papel muy colorado.

4. Yo traté de _____ la cuerda y abrir el paquete, pero no pude hacerlo.

5. El padre puso _____ en el brazo de su hija para proteger la herida.

F. FRASES ORIGINALES. Write original sentences using a form of the following words.

1. sepultar _____

2. tapado _____

3. lienzo _____

4. atado _____

5. consolar _____

G. ORDEN CRONOLÓGICO. Number the following events according to their chronological order.

_____ a. Jesús se acercó a la tumba.

_____ b. María salió para encontrarse con Jesús.

_____ c. Lázaro salió del sepulcro.

_____ d. Los judíos siguieron a María.

_____ e. Quitaron la piedra de la entrada de la cueva.

_____ f. Marta le dijo a su hermana que Jesús la había llamado.

_____ g. María se encontró con Jesús.

H. SUMARIO. In Spanish, briefly summarize this passage.

_____

_____

_____

_____

_____

_____

I. EXPLICACIÓN DEL TEXTO. Read the following excerpt from the passage and tell, in Spanish, why these words spoken by Jesus are so important and, at the same time, so comforting.

> Yo soy la resurrección y la vida. El que cree en
> mí, aunque muera, vivirá; y todo el que todavía
> está vivo y cree en mí, no morirá jamás.

_____

_____

_____

_____

J. COMPOSICIÓN Y CONVERSACIÓN. The following comments and questions are for written or oral reflection.

1. Jesús se conmovió al ver a María, la cual estaba muy angustiada a causa de la muerte de su hermano Lázaro. Piense Ud. en algún suceso que le conmovió a Ud. ¿Por qué se sintió tan afligido? Por todas partes se oye mucho en la actualidad acerca de la apatía; es decir, de los que no se conmueven cuando ven a cualquiera en peligro. ¿Qué podemos hacer para combatir esta apatía en nuestra sociedad?

2. La muerte es una parte inevitable de la vida, por lo menos de la vida humana. Aunque sea difícil, piense Ud. en alguien que se ha muerto, y describa su reacción. ¿Qué dificultades tuvo Ud.? ¿Quién le ayudó? ¿Cómo le ayudó su fe en Dios? ¿Cómo reaccionan ante la muerte los que no creen en Dios ni en la vida eterna?

LENGUAJE HUMANO EN PALABRA DE DIOS

Juan 13. 1–20
Jesús lava los pies de sus discípulos

A. LEER. In this passage from John we see Jesus washing the feet of His disciples.

¹ Era el día anterior° a la fiesta de la Pascua,° Jesús sabía que había llegado la hora de que él dejara este mundo para ir a reunirse con° el Padre. El siempre había amado a los suyos que estaban en el mundo, y así los amó hasta el fin.

²⁻⁴ El diablo ya había metido° en el corazón de Judas, hijo de Simón Iscariote, la idea de traicionar° a Jesús. Jesús sabía que había venido de Dios, que iba a volver a Dios y que el Padre le había dado toda autoridad; así que, mientras estaban cenando, se levantó de la mesa, se quitó la ropa exterior y se ató° una toalla° a la cintura.° ⁵ Luego echó° agua en una palangana° y se puso a lavar° los pies de los discípulos y a secárselos° con la toalla que llevaba a la cintura.

⁶ Cuando iba a lavarle los pies a Simón Pedro, éste le dijo:

—Señor, ¿tú me vas a lavar los pies a mí?

⁷ Jesús, le contestó:

—Ahora no entiendes lo que estoy haciendo, pero después lo entenderás.

⁸ Pedro le dijo:

—¡Jamás permitiré que me laves los pies!

Respondió Jesús:

—Si no te los lavo, no podrás ser de los míos.

⁹ Simón Pedro le dijo:

—¡Entonces, Señor, no me laves solamente los pies, sino también las manos y la cabeza!

¹⁰ Pero Jesús le contestó:

—El que está recién bañado° no necesita lavarse más que los pies, porque está todo limpio. Y ustedes están limpios, aunque no todos.

¹¹ Dijo: "No están limpios todos", porque sabía quién lo iba a traicionar.

¹² Después de lavarles los pies, Jesús volvió a ponerse la ropa° exterior, se sentó otra vez a la mesa y les dijo:

—¿Entienden ustedes lo que les he hecho? [13] Ustedes me llaman Maestro y Señor, y tienen razón, porque lo soy. [14] Pues si yo, el Maestro y Señor, les he lavado a ustedes los pies, también ustedes deben lavarse los pies unos a otros. [15] Yo les he dado un ejemplo, para que ustedes hagan lo mismo que yo les he hecho. [16] Les aseguro que ningún criado° es más que su amo,° y que ningún enviado° es más que el que lo envía. [17] Si entienden estas cosas y las ponen en práctica, serán dichosos.°

[18] "No estoy hablando de todos ustedes; yo sé quiénes son los que he escogido.° Pero tiene que cumplirse° lo que dice la Escritura: 'El que come conmigo, se ha vuelto° contra mí.' [19] Les digo esto de antemano° para que, cuando suceda,° ustedes crean que yo soy el que soy. [20] Les aseguro que el que recibe al que yo envío, me recibe a mí; y el que me recibe a mí, recibe al que me ha enviado.

GLOSARIO

anterior   inmediato por delante
Pascua (f)   fiesta que celebran los hebreos en memoria de la liberación de Egipto
reunirse con   *to get together with*
metido   puesto en
traicionar   quebrantar la lealtad o la fidelidad debida
se ató (-arse)   unir, enlazar, sujetar con un nudo una cuerda
toalla (f)   lienzo para secarse
cintura (f)   parte más estrecha del cuerpo humano, por encima de las caderas
echó (-ar)   lanzar, arrojar
palagana (f)   recipiente portátil que sirve para lavarse la cara y las manos
se puso a lavar   empezó a lavar
secárselos (secar)   hacer quitar la humedad de un cuerpo
recién bañado   *recently washed*
volvió a ponerse la ropa   se puso la ropa otra vez
criado (m)   sirviente
amo (m)   dueño, el que tiene criado
enviado (m)   persona que se manda a alguna parte por una cierta causa
dichosos   felices
escogido   tomado o elegido una cosa entre varias
cumplirse   ejecutar, hacer lo que se debe
se ha vuelto   *has turned*
de antemano   *beforehand*
suceda (-er)   pasar, ocurrir

B. **¿SÍ o NO?** Read each statement and indicate if it is **Verdadero** (V) or **Falso** (F). If the statement is false, correct it. If it is true, add a comment about the statement.

1.____ Jesús celebra la Pascua con sus discípulos.

_____

2.____ Sabe que muy pronto va a morir.

_____

3.____ Simón Pedro va a traicionar a Jesús.

_____

4.____ El Padre da toda su autoridad a Jesús.

_____

5.____ Jesús y sus discípulos se reúnen para cenar.

_____

6.____ Jesús secó los pies de sus discípulos con una palangana.

_____

7.____ Jesús lavó los pies y las manos de Pedro.

_____

8.____ Los discípulos llaman a Judas «Maestro» y «Señor.»

_____

9.____ Jesús dice que los discípulos deben lavarse los pies unos a otros.

_____

10. ____ Jesús quiere que sus discípulos sigan su ejemplo.

_____

C. PREGUNTAS. Answer the following questions with complete sentences.

1. ¿Cuándo tiene lugar esta escena?

_____

2. ¿Quién estaba en el corazón de Judas?

_____

3. Cuando Jesús deje este mundo, ¿con quién va a reunirse?

_____

4. ¿Qué hacían los discípulos cuando Jesús se levantó de la mesa?

_____

5. ¿Qué se quitó Jesús antes de lavar los pies a sus discípulos?

_____

6. ¿Para qué usó Jesús la toalla?

   _____

7. ¿Dónde llevaba Jesús la toalla?

   _____

8. ¿Dónde echó agua Jesús para lavar los pies de sus discípulos.

   _____

9. ¿Quién no quería que Jesús le lavara los pies?

   _____

10. Además de entender lo que Jesús les había dicho, ¿qué tenían que hacer los discípulos?

   _____

D. VOCABULARIO. Based on the context of the passage, match the words or expressions that are most closely associated.

_____ 1. amo	a. palangana
_____ 2. recién bañado	b. la ropa exterior
_____ 3. toalla	c. Señor
_____ 4. agua	d. criado
_____ 5. se quitó	e. secarse
_____ 6. Maestro	f. limpio

E. APLICACIÓN DEL VOCABULARIO. Select the word or expression from the **glosario** that best completes the meaning of each sentence. If necessary, change the word or expression to the appropriate form.

1. La lectura _____ fue distinta, pero la próxima será semejante.

2. Buscaban al espía que iba a _____ la nación.

3. _____ nos entregó el mensaje que esperábamos.

4. Al salir del mar él quería _____ en seguida a causa del frío.

5. El criado _____ a la basura todos los papeles.

F. FRASES ORIGINALES. Write original sentences using a form of the following words.

1. atar _____

2. toalla _____

3. cintura _____

4. amo _____

5. cumplirse _____

G. IDENTIFICAR. Identify the person or persons described in each statement.

1. Cenan con Jesús. _____

2. Va a traicionar a Jesús _____

3. Lava los pies de los otros. _____

4. Estaba en el corazón de Judas. _____

5. Le dio a Jesús toda autoridad. _____

H. SUMARIO. In Spanish, briefly summarize this passage.

_____

_____

_____

_____

_____

_____

_____

I. EXPLICACIÓN DEL TEXTO. Read the excerpt from the passage and tell, in Spanish, how these words should influence our relationships with other people.

> Les aseguro que el que recibe al que yo envío, me recibe a mí; y el que me recibe a mí, recibe al que me ha enviado.

_____

_____

_____

_____

_____

J. COMPOSICIÓN Y CONVERSACIÓN. The following comments and questions are for written or oral reflection.

1. Jesús quería lavar los pies de Pedro, pero al principio Pedro no lo permitía. ¿Hacemos nosotros lo mismo a veces cuando no permitimos a Jesús que nos ayude?

2. Jesús dijo a sus discípulos «Si entienden estas cosas y las ponen en práctica, serán dichosos.» Muchas veces la parte más difícil es poner en práctica lo que entendemos. Sabemos lo que debemos hacer, pero no lo hacemos. ¿Cómo podemos poner en práctica lo que entendemos de Dios?

LENGUAJE HUMANO EN PALABRA DE DIOS

Mateo 27. 15–31
Jesús es sentenciado a muerte

A. LEER. In this reading from Matthew we see Jesus appearing before Pontius Pilate.

¹⁵ Durante la fiesta, el gobernador acostumbraba dejar libre° un preso,° el que la gente escogiera. ¹⁶ Había entonces un preso famoso llamado Jesús Barrabás; ¹⁷ y estando ellos reunidos, Pilato les preguntó:

—¿A quién quieren ustedes que les ponga en libertad: a Jesús Barrabás, o a Jesús, el que llaman el Mesías?

¹⁸ Porque se había dado cuenta° de que lo habían entregado por envidia.°

¹⁹ Mientras Pilato estaba sentado en el tribunal, su esposa mandó a decirle: "No te metas° con ese hombre justo, porque anoche tuve un sueño horrible por causa suya."

²⁰ Pero los jefes de los sacerdotes y los ancianos convencieron a la multitud de que pidiera la libertad de Barrabás y la muerte de Jesús. ²¹ El gobernador les preguntó otra vez:

—¿A cuál de los dos quieren ustedes que les ponga en libertad?

Ellos dijeron:

—¡A Barrabás!

²² Pilato les preguntó:

—¿Y qué voy a hacer con Jesús, el que llaman el Mesías?

Todos contestaron:

—¡Crucifícalo!

²³ Pilato les dijo:

—Pues ¿qué mal ha hecho?

Pero ellos volvieron a gritar:

—¡Crucifícalo!

²⁴ Cuando Pilato vio que no conseguía nada, sino que el alboroto° era cada vez mayor, mandó traer agua y se lavó las manos delante de todos, diciendo:

—Yo no soy responsable de la muerte de este hombre; es cosa de ustedes.

²⁵ Toda la gente contestó:

—¡Nosotros y nuestros hijos nos hacemos responsables de su muerte!

²⁶ Entonces Pilato dejó libre a Barrabás; luego mandó azotar° a Jesús y lo entregó para que lo crucificaran.

²⁷ Los soldados del gobernador llevaron a Jesús al palacio y reunieron toda la tropa alrededor de él. ²⁸ Le quitaron su ropa, lo vistieron con una capa roja ²⁹ y le pusieron en la cabeza una corona° tejida° de espinas° y una vara° en la mano derecha. Luego se arrodillaron delante de él, y burlándose° le decían:

—¡Viva el Rey de los judíos!

³⁰ También le escupían,° y con la misma vara le golpeaban la cabeza. ³¹ Después de burlarse así de él, le quitaron la capa roja, le pusieron su propia ropa y se lo llevaron° para crucificarlo.

GLOSARIO

dejar libre   poner en libertad
preso (m)   prisionero, detenido por la justicia
se había dado cuenta   *(he) had realized*
envidia (f)   tristeza o rabia por el bien o el éxito de los demás
te metas (meterse)   introducirse o intervenir en un asunto sin ser llamado
alboroto (m)   ruido
azotar   golpear con látigo
corona (f)   adorno para la cabeza, generalmente usado por reyes
tejida (tejer)   formar la tela; entrelazar hilos para formar tela
espinas (f)   punta delgada; pincho de algunas plantas
vara (f)   rama delgada
burlándose (burlarse)   poner en ridículo a persona
escupían (-ir)   arrojar la saliva; echarla fuera de la boca
se lo llevaron   *they took him away*

B. **¿SÍ o NO?** Read each statement and indicate if it is **Verdadero** (V) or **Falso** (F). If the statement is false, correct it. If it is true, add a comment about the statement.

1. ____ Todos los años, durante la fiesta, el gobernador escoge a un preso a quien se le da libertad.

_____

2. ____ Pilato sueña con Jesús.

_____

3. ____ La gente quiere poner en libertad a Barrabás.

_____

4. ___ La multitud tiene que escoger entre muchos presos.

_____

5. ___ Pilato lava las manos de Barrabás.

_____

6. ___ Pilato no quiere aceptar la responsabilidad de la muerte de Jesús.

_____

7. ___ Después de ser azotado, Jesús es entregado a los soldados.

_____

8. ___ Llevan a Jesús al palacio donde lo crucifican.

_____

9. ___ Le ponen en la cabeza una vara.

_____

10. ___ Jesús escupe a los soldados.

_____

C. PREGUNTAS. Answer the following questions with complete sentences.

1. ¿Quién fue Pilato?

_____

2. ¿De qué le avisó a Pilato su esposa?

_____

3. ¿Cómo supo su esposa del peligro?

_____

4. ¿Quién escogía al preso que se dejaba en libertad?

_____

5. ¿Qué hizo Pilato para evitar la responsabilidad de la muerte de Jesús?

_____

6. ¿Quiénes aceptaron la responsabilidad de la muerte de Jesús?

_____

7. ¿Qué le mandó hacer Pilato a Jesús primero?

_____

8. ¿Cómo era la corona que pusieron en la cabeza de Jesús?

_____

9. ¿Por qué decían los soldados, «¡Viva el Rey de los judíos!»?

_____

10. ¿Qué hicieron los soldados con la vara?

_____

D. VOCABULARIO. Based on the context of the passage, match the words or expressions that are most closely associated.

___ 1. poner en libertad   a. corona

___ 2. cabeza   b. vistieron

___ 3. tejida   c. dejar libre

___ 4. vara   d. le escupían

___ 5. burlándose   e. espinas

___ 6. quitaron   f. golpearon

E. APLICACIÓN DEL VOCABULARIO. Select the word or expression from the **glosario** that best completes the meaning of each sentence. If necessary, change the word or expression to the appropriate form.

1. Llevaron al _____ a la cárcel.

2. Nadie oyó las noticias a causa del _____.

3. La reina sonrió cuando le pusieron _____ en su cabeza.

4. Los chicos _____ del niño que cojeaba.

5. Hay que tener mucho cuidado con las plantas que tienen _____.

F. FRASES ORIGINALES. Write original sentences using a form of the following words.

1. envidia _____

2. vara _____

3. escupir _____

4. tejer _____

5. dejar libre _____

G. IDENTIFICAR. Identify the person or group described in each statement.

1. Tuvo un sueño acerca de Jesús. _____

2. Preguntó «¿Qué mal ha hecho?» _____

3. Fue un preso famoso. _____

4. Pusieron en la cabeza de Jesús una corona. _____

5. Querían crucificar a Jesús. _____

H. SUMARIO. In Spanish, briefly summarize this passage.

_____

_____

_____

_____

_____

_____

_____

I. EXPLICACIÓN DEL TEXTO. Read the following excerpt from the passage and tell, in Spanish, why the soldiers dressed Jesus in this manner.

...lo vistieron con una capa roja y le pusieron en
la cabeza una corona tejida de espinas y una vara
en la mano derecha.

_____

_____

_____

_____

_____

J. COMPOSICIÓN Y CONVERSACIÓN. The following comments and questions are for written or oral reflection.

1. En esta selección Pilato dijo: «Yo no soy responsable de la muerte de este hombre; es cosa de Uds.» ¿Puede Pilato o cualquier persona lavarse así las manos y escaparse de sus responsabilidades? ¿Es suficiente decir que no se tiene responsabilidad alguna?

2. ¿Se ha encontrado Ud. en una situación, en la cual Ud. no quería contradecir a otros porque temía su reacción? Descríbala. ¿Haría lo mismo en el futuro?

3. ¿Ha visto Ud. a alguien burlándose de otra persona? Describa lo que le hacían. ¿Cuál fue su reacción.? ¿Lo defendió Ud. o participó con ellos de la burla? ¿Se dio cuenta de que no era justo? ¿Cómo se sintió Ud. después?

LENGUAJE HUMANO EN PALABRA DE DIOS

Juan 9. 13–34
Los fariseos interrogan al ciego que fue sanado

A. LEER. In this passage we read how the Pharisees tried to trap Jesus because He healed a blind man on the Sabbath.

13-14 El día en que Jesús hizo el lodo° y devolvió la vista° al ciego,° era día de reposo.° Por eso llevaron ante los fariseos al que había sido ciego, 15 y ellos le preguntaron cómo era que ya podía ver. Y él les contestó:

—Me puso lodo sobre los ojos, me lavé y ahora veo.

16 Algunos fariseos dijeron:

—El que hizo esto no puede ser de Dios, porque no respeta el día de reposo.

Pero otros decían:

—¿Cómo puede hacer estas señales milagrosas, si es pecador?°

De manera que° hubo división entre ellos, 17 y volvieron a preguntarle al que antes era ciego:

—Puesto que te ha dado la vista, ¿qué dices de él?

El contestó:

—Yo digo que es un profeta.

18 Pero los judíos no quisieron creer° que había sido ciego y que ahora podía ver, hasta que llamaron a sus padres 19 y les preguntaron:

—¿Es éste su hijo? ¿Declaran ustedes que nació° ciego? ¿Cómo es que ahora puede ver?

20 Sus padres contestaron:

—Sabemos que éste es nuestro hijo, y que nació ciego; 21 pero no sabemos cómo es que ahora puede ver, ni tampoco sabemos quién le dio la vista. Pregúntenselo a él; ya es mayor de edad,° y él mismo puede darles razón.

22 Sus padres dijeron esto por miedo, pues los judíos se habían puesto de acuerdo para expulsar de la sinagoga a cualquiera que reconociera que Jesús era el Mesías. 23 Por eso dijeron sus padres: "Pregúntenselo a él, que ya es mayor de edad."

²⁴ Los judíos volvieron a llamar al que había sido ciego, y le dijeron:

—Dinos la verdad delante de Dios. Nosotros sabemos que ese hombre es pecador.

²⁵ El les contestó:

—Yo no sé si es pecador o no. Lo único que sé es que yo era ciego y ahora veo.

²⁶ Volvieron a preguntarle:

—¿Qué te hizo? ¿Qué hizo para darte la vista?

²⁷ Les contestó:

—Ya se lo he dicho, pero no me hacen caso.° ¿Por qué quieren que se lo repita? ¿Es que también ustedes quieren seguirle?

²⁸ Entonces lo insultaron, y le dijeron:

—Tú sigues a ese hombre, pero nosotros seguimos a Moisés.

²⁹ Nosotros sabemos que Dios le habló a Moisés; pero ése, ni siquiera sabemos de dónde ha salido.

³⁰ El hombre les contestó:

—¡Qué cosa tan rara! Ustedes no saben de dónde ha salido, y en cambio a mí me ha dado la vista. ³¹ Bien sabemos que Dios no escucha a los pecadores; solamente escucha a los que lo adoran y hacen su voluntad. ³² Nunca se ha oído decir de nadie que diera la vista a una persona que nació ciega. ³³ Si este hombre no viniera de Dios, no podría hacer nada.

³⁴ Le dijeron entonces:

—Tú, que naciste lleno de pecado, ¿quieres darnos lecciones a nosotros?

Y lo expulsaron de la sinagoga.

GLOSARIO

lodo (m)   masa formada por la mezcla de agua y polvo o tierra
vista (f)   facultad de ver
ciego (m)   persona privada de la vista, que no ve
reposo (m)   descanso
pecador (m)   que peca; que va contra la ley de Dios
De manera que   *So then, And so*
no quisieron creer   *(they) refused to believe*
nació (-er)   venir al mundo
mayor de edad   *old enough*
no me hacen caso   *(you) are not paying attention to me*

B. **¿SÍ o NO?** Read each statement and indicate if it is **Verdadero** (V) or **Falso** (F). If the statement is false, correct it. If it is true, add a comment about the statement.

1. _____ Jesús sana al ciego en el día de reposo.

   _____

2. _____ El ciego hace el lodo y se lo pone sobre los ojos.

   _____

3. _____ Los fariseos acusan a Jesús de no respetar el día de reposo.

   _____

4. _____ El ciego cree que Jesús es un profeta.

   _____

5. _____ Los judíos quieren hablar con los padres del ciego.

   _____

6. _____ El ciego tiene miedo de responder a los judíos.

   _____

7. _____ El ciego es demasiado joven para comprender bien lo que Jesús hace por él.

   _____

8. _____ Los judíos creen que el ciego es un pecador.

   _____

9. _____ Los judíos quieren seguir a Jesús.

   _____

10. _____ Los judíos saben que Dios habló a Moisés.

   _____

C. **PREGUNTAS.** Answer the following questions with complete sentences.

1. ¿Cuándo sanó Jesús al ciego?

   _____

2. ¿A quién sanó Jesús?

   _____

3. ¿Qué hizo para curarlo?

   _____

4. ¿Qué dice el muchacho acerca de Jesús?

   _____

5. ¿Desde cuándo era ciego el muchacho?

_____

6. ¿A quiénes les preguntaron los judíos acerca de Jesús?

_____

7. ¿Por qué no respondieron los padres a los judíos?

_____

8. ¿A quién seguían los judíos?

_____

9. ¿Entre quiénes hubo división?

_____

10. ¿De dónde expulsaron al muchacho?

_____

D. **VOCABULARIO.** Based on the context of the passage, match the words or expressions that are most closely associated.

_____ 1. ciego	a. milagrosas
_____ 2. expulsar	b. de reposo
_____ 3. día	c. hacer su voluntad
_____ 4. adorar	d. pecado
_____ 5. lleno de	e. sinagoga
_____ 6. señales	f. vista

E. **APLICACIÓN DEL VOCABULARIO.** Select the word or expression from the **glosario** that best completes the meaning of each sentence. If necessary, change the word or expression to the appropriate form.

1. Había mucho _____ en las calles después de la tempestad.

2. Tiene vergüenza de sus _____ y desea arrepentirse.

3. La criatura que _____ ayer se encuentra bien ahora.

4. Nadie puede explicarlo. Es un remedio _____.

5. Hacía diez meses que trabajaba los siete días la semana, y esperaba unos días de _____.

F. FRASES ORIGINALES. Write original sentences using a form of the following words.

1. vista _____

2. ciego _____

3. pecador _____

4. mayor de edad _____

5. por miedo _____

G. IDENTIFICAR. Identify the person or group that made the following statements.

1. «… no sabemos cómo es que ahora puede ver, ni tampoco sabemos quién le dio la vista.» _____

2. «¿Por qué quieren que se lo repita?» _____

3. «El que hizo esto no puede ser de Dios, porque no respeta el día de reposo.» _____

H. SUMARIO. In Spanish, briefly summarize this passage.

_____

_____

_____

_____

_____

_____

_____

I. EXPLICACIÓN DEL TEXTO. Read the following excerpt from the passage and tell, in Spanish, why these words spoken by the boy angered the Pharisees.

¿Es que ustedes también quieren seguirle?

_____

_____

_____

_____

_____

J. COMPOSICIÓN Y CONVERSACIÓN. The following comments and questions are for written or oral reflection.

1. El día de reposo era muy importante en aquellos tiempos, y aunque todavía lo es, hemos visto muchos cambios en nuestra sociedad en cuanto a este día. Las tiendas están abiertas y mucha gente trabaja o va de compras. En muchas familias la cena tradicional de este día ha desaparecido. ¿Qué opina Ud. de estos cambios? ¿Le gustan? ¿Es simplemente una cuestión de progreso?

2. Los fariseos «se habían puesto de acuerdo para expulsar de la sinagoga a cualquiera que reconociera que Jesús era el Mesías.» En varias partes del mundo todavía existe la misma falta de libertad para adorar. ¿Por qué no permiten ciertos gobiernos que sus ciudadanos practiquen su religión? ¿Tiene un individuo el derecho de adorar a quienquiera y como quiera?

LENGUAJE HUMANO EN PALABRA DE DIOS

Mateo 27. 32–56
Jesús es crucificado
Muerte de Jesús

A. LEER. In this passage we read Matthew's account of the crucifixion and death of Jesus.

32 Al salir de allí, encontraron a un hombre llamado Simón, natural° de Cirene, a quien obligaron a cargar con la cruz de Jesús.

33 Cuando llegaron a un sitio llamado Gólgota, (es decir,° "Lugar de la Calavera"°), 34 le dieron a beber vino mezclado° con hiel;° pero Jesús, después de probarlo,° no lo quiso beber.°

35 Cuando ya lo habían crucificado, los soldados echaron suertes° para repartirse° entre sí° la ropa de Jesús. 36 Luego se sentaron allí para vigilarlo.° 37 Y por encima de su cabeza pusieron un letrero,° donde estaba escrita la causa de su condena.° El letrero decía: "Este es Jesús, el Rey de los judíos."

38 También fueron crucificados con él dos bandidos, uno a su derecha y otro a su izquierda. 39 Los que pasaban lo insultaban, meneando° la cabeza 40 y diciendo:

—¡Tú, que derribas° el templo y en tres días lo vuelves a levantar,° sálvate a ti mismo! ¡Si eres Hijo de Dios, bájate de la cruz!

41 De la misma manera se burlaban de° él los jefes de los sacerdotes° y los maestros de la ley, junto con los ancianos. Decían:

42—Salvó a otros, pero a sí mismo no puede salvarse. Es el Rey de Israel: ¡pues que baje de la cruz, y creeremos en él! 43 Ha puesto su confianza en Dios: ¡pues que Dios lo salve ahora, si de veras le quiere! ¿No nos ha dicho que es Hijo de Dios?

44 Y hasta los bandidos que estaban crucificados con él, lo insultaban.

45 Desde el mediodía y hasta las tres de la tarde, toda la tierra quedó en oscuridad. 46 A esa misma hora, Jesús gritó con fuerza: "Elí, Elí, ¿lema sabactani?" (es decir: "Dios mío, Dios mío, ¿por qué me has abandonado?")

47 Algunos de los que estaban allí, lo oyeron y dijeron:

—Este está llamando al profeta Elías.

⁴⁸ Al momento, uno de ellos fue corriendo en busca de una esponja,° la empapó° en vino agrio,° la ató° a una caña° y se la acercó para que bebiera. ⁴⁹ Pero los otros dijeron:

—Déjalo, a ver si Elías viene a salvarlo.

⁵⁰ Jesús dio otra vez un fuerte grito, y murió. ⁵¹ En aquel momento el velo° del templo se rasgó° en dos, de arriba abajo.° La tierra tembló, las rocas se partieron ⁵² y los sepulcros se abrieron; y hasta muchos hombres de Dios, que habían muerto, volvieron a la vida. ⁵³ Entonces salieron de sus tumbas, después de la resurrección de Jesús, y entraron en la santa ciudad de Jerusalén, donde mucha gente los vio.

⁵⁴ Cuando el capitán y los que estaban con él vigilando a Jesús vieron el terremoto° y todo lo que estaba pasando, se llenaron de miedo y dijeron:

—¡De veras este hombre era Hijo de Dios!

⁵⁵ Estaban allí, mirando de lejos, muchas mujeres que habían seguido a Jesús desde Galilea y que lo habían ayudado. ⁵⁶ Entre ellas se encontraban María Magdalena, María la madre de Santiago y de José, y la madre de los hijos de Zebedeo.

GLOSARIO

natural (m)   nativo, originario de un pueblo o nación

es decir   con otras palabras

Calavera (f)   los huesos de cabeza humana sin carne y piel

mezclado   unidas en una masa dos o más substancias o cosas distintas

hiel (f)   substancia de sabor amargo

probarlo (-ar)   tomar una pequeña porción para apreciar su sabor

no lo quiso beber   *refused to drink it*

echaron suertes   *drew lots*

repartirse   distribuir entre varios una cosa

entre sí   *among themselves*

vigilarlo   atender cuidadosamente

letrero   palabra o conjunto de palabras para avisar o publicar una cosa

condena (f)   extensión y grado de la pena o castigo por un delito o crimen

meneando (-ar)   mover una cosa de un lado a otro

derribas (-ar)   destruir, demoler, echar abajo cualquier construcción o edificio

lo vuelves a levantar   vas a levantarlo otra vez

se burlaban de (-arse)   poner en ridídulo a persona o cosas con palabras e insultos o con gestos

sacerdotes (m)   hombres dedicados a ofrecer sacrificios o presidir el culto religioso

esponja (f)   producto marino poroso que puede absorber líquidos

empapó (-ar)   *soaked, dipped*

agrio   ácido, amargo

ató (-ar)   unir, juntar o sujetar con ligaduras o nudos

caña (f)   tronco o rama delgada de la que se arrancan las hojas, flores y frutas

velo (m)   cortina o tela que cubre una cosa

se rasgó (-arse)   partirse por medio, abrirse separándose una tela, un muro

de arriba abajo   *from top to bottom*

terremoto (m)   temblor de tierra

B. **¿SÍ o NO?** Read each statement and indicate if it is **Verdadero** (V) or **Falso** (F). If the statement is false, correct it. If it is true, add a comment about the statement.

1. _____ Simón se ofrece a ayudar a Jesús con la cruz.

_____

2. _____ Jesús bebe todo el vino que le dan.

_____

3. _____ Los soldados toman la ropa de Jesús.

_____

4. _____ El profeta Elías escribe el letrero de la cruz.

_____

5. _____ Hay dos crucificados más con Jesús.

_____

6. _____ Por la tarde el sol brilla.

_____

7. _____ Cuando Jesús muere la tierra queda tranquila.

_____

8. _____ Mucha gente se burla de Jesús en la cruz.

_____

9. _____ Empapan una esponja en vino dulce.

_____

10. _____ Muchos observadores no creen que Jesús sea el Hijo de Dios porque no baja de la cruz.

_____

C. PREGUNTAS. Answer the following questions with complete sentences.

1. ¿Cómo ayudó Simón a Jesus?

_____

2. ¿Qué quiere decir «Gólgota» ?

_____

3. ¿Qué ofrecieron a Jesús para beber?

_____

4. ¿Qué escribieron en el letrero que estaba encima de la cabeza de Jesús?

_____

5. ¿Quiénes fueron crucificados junto con Jesús?

_____

6. ¿Quiénes se burlaban de Jesús?

_____

7. ¿A qué hora murió Jesús?

_____

8. ¿Qué les pasó a los sepulcros después del terremoto?

_____

9. ¿Cómo reaccionaron los que estaban con Jesús cuando vieron lo que pasaba después del terremoto?

_____

10. ¿Quiénes habían seguido a Jesús desde Galilea?

_____

D. VOCABULARIO. Based on the context of the passage, match the words or expressions that are most closely associated.

_____ 1. repartir   a. la tierra tembló
_____ 2. el letrero   b. la cruz
_____ 3. el velo   c. empapada en vino agrio
_____ 4. terremoto   d. la ropa de Jesús
_____ 5. derribar   e. «El Rey de los judíos»
_____ 6. cargar   f. se rasgó en dos
_____ 7. esponja   g. el templo

E. APLICACIÓN DEL VOCABULARIO. Select the word or expression from the **glosario** that best completes the meaning of each sentence. If necessary, change the word or expression to the appropriate form.

1. Van a _____ ese edificio viejo y construirán otro más moderno.

2. Antes de echarlo al correo, tiene que _____ el paquete con una cuerda.

3. _____ de San Francisco destruyó muchos edificios y mató a mucha gente.

4. Metieron _____ en agua caliente para limpiar la mesa.

5. Los médicos _____ al niño enfermo durante dos días.

F. FRASES ORIGINALES. Write original sentences using a form of the following words.

1. natural _____

2. burlarse de _____

3. probar _____

4. calavera _____

5. caña _____

G. ORDEN CRONOLÓGICO. Number the following events according to their chronological order.

_____ a. La tierra queda en oscuridad.

_____ b. Los soldados reparten la ropa de Jesús.

_____ c. Jesús muere.

_____ d. Crucifican a Jesús.

_____ e. Simón le ayuda a Jesús con la cruz.

_____ f. Los maestros se burlan de Jesús.

_____ g. Un terremoto derriba el templo.

H. SUMARIO. In Spanish, briefly summarize this passage.

_____

_____

_____

_____

_____

_____

I. EXPLICACIÓN DEL TEXTO. Read the following excerpt from the passage and tell, in Spanish, what these words teach us about Jesus' death.

> ... y los sepulcros se abrieron; y hasta muchos
> hombres de Dios, que habían muerto, volvieron a
> la vida.

_____

_____

_____

_____

_____

J. COMPOSICIÓN Y CONVERSACIÓN. The following comments and questions are for written or oral reflection.

1. Muchas personas que vieron a Jesús crucificado le dijeron: «Si eres Hijo de Dios, bájate de la cruz!». Ellos no creían en Jesús; no le aceptaron como Dios. Querían pruebas. ¿Hacemos nosotros lo mismo a menudo? ¿Queremos que Jesús nos demuestre que es Dios? ¿que nos dé señales de su divinidad? En su propia vida, ¿le pide a Jesús pruebas de su divinidad?

2. Mucha gente se burló de Jesús cuando fue crucificado. Hoy en día se ve lo mismo; es decir, muchos siguen burlándose de Jesús. ¿Cómo responde Ud. si alguien se burla de Jesús? ¿Y si se burlan de alguien que cree en Dios?

Lucas 15. 11–32
La parábola del padre que perdona a su hijo

A. LEER. In this reading Jesus tells the parable of the prodigal son.

[11] Jesús contó esto también: "Un hombre tenía dos hijos, [12] y el más joven le dijo a su padre: 'Padre, dame la parte de la herencia° que me toca.'° Entonces el padre repartió los bienes entre ellos. [13] Pocos días después el hijo menor vendió su parte de la propiedad, y con ese dinero se fue lejos, a otro país, donde todo lo derrochó° llevando una vida desenfrenada.° [14] Pero cuando ya se lo había gastado todo, hubo una gran escasez° de comida en aquel país, y él comenzó a pasar hambre.° [15] Fue a pedir trabajo a un hombre del lugar, que lo mandó a sus campos a cuidar° cerdos.° [16] Y tenía ganas de° llenarse el estómago con las algarrobas° que comían los cerdos, pero nadie se las daba. [17] Al fin se puso a pensar:° '¡Cuántos trabajadores en la casa de mi padre tienen comida de sobra,° mientras yo aquí me muero de hambre! [18] Regresaré a casa de mi padre, y le diré: Padre mío, he pecado contra Dios y contra ti; [19] ya no merezco° llamarme tu hijo; trátame como a uno de tus trabajadores.' [20] Así que se puso en camino° y regresó a la casa de su padre.

"Cuando todavía estaba lejos, su padre lo vio y sintió compasión de él. Corrió a su encuentro, y lo recibió con abrazos° y besos.° [21] El hijo le dijo: 'Padre mío, he pecado contra Dios y contra ti; ya no merezco llamarme tu hijo.' [22] Pero el padre ordenó a sus criados: 'Saquen° pronto la mejor ropa y vístanlo; póngale también un anillo en el dedo y sandalias en los pies. [23] Traigan el becerro° más gordo y mátenlo. ¡Vamos a comer y a hacer fiesta! [24] Porque este hijo mío estaba muerto y ha vuelto a vivir;° se había perdido y lo hemos encontrado.' Y comenzaron a hacer fiesta.

[25] "Entre tanto,° el hijo mayor estaba en el campo. Cuando regresó y llegó cerca de la casa, oyó la música y el baile. [26] Entonces llamó a uno de los criados y le preguntó qué pasaba. [27] El criado le dijo: 'Es que su hermano ha vuelto; y su padre ha mandado matar el becerro más gordo, porque llegó bueno y sano.'° [28] Pero tanto se enojó° el hermano mayor, que no quería entrar, así que su padre tuvo que salir a rogarle° que lo hiciera.

²⁹ Le dijo a su padre: "Tú sabes cuántos años te he servido, sin desobedecerte° nunca, y jamás me has dado ni siquiera un cabrito° para hacer fiesta con mis amigos. ³⁰ En cambio,° ahora llega este hijo tuyo, que ha malgastado° tu dinero con prostitutas, y matas para él el becerro más gordo.'

³¹ "El padre le contestó: 'Hijo mío, tú siempre estás conmigo, y todo lo que tengo es tuyo. ³² Pero ahora es muy justo hacer fiesta y alegrarnos,° porque tu hermano, que estaba muerto, ha vuelto a vivir; se había perdido y lo hemos encontrado.' "

GLOSARIO

herencia (f)   dinero, propiedades que se adquieren por sucesión
que me toca   que es mío, que me pertenece a mí
derrochó (-ar)   usar los bienes irracionalmente, malgastar
desenfrenada   entregada desordenadamente a los vicios y maldades
escasez (f)   poca cantidad
pasar hambre   *to go hungry*
cuidar   guardar, custodiar
cerdos (m)   animal; puercos
tenía ganas de   *(he) was willing to*
algarrobas (f)   planta leguminosa para alimento de animales
se puso a pensar   comenzó a pensar
de sobra   muy abundante, más de lo necesario
merezco (-cer)   ser digno de
Así que se puso en camino   *So he set out*
abrazos (m)   acción de tomar entre los brazos con cariño
besos (m)   acción de tocar con los labios
saquen (sacar)   quitar o extraer una cosa del interior de otra
becerro (m)   toro de menos de un año
ha vuelto a vivir   *has come back to life*
Entre tanto   *meanwhile*
bueno y sano   *safe and sound*
se enojó (-arse)   ponerse o volverse furioso, airado
rogar(le)   pedir, suplicar
desobedecer(te)   no hacer uno lo que le mandan
cabrito (m)   cria de un ruminante doméstico
En cambio   *on the other hand*
malgastado   empleado mal o con exceso el dinero, derrochado
alegrar(nos)   causar alegría, júbilo

B. ¿SÍ o NO? Read each statement and indicate if it is **Verdadero** (V) or **Falso** (F). If the statement is false, correct it. If it is true, add a comment about the statement.

1. _____ El hijo mayor le pide su herencia al padre.

   _____

2. _____ El hijo más joven vende su propiedad.

   _____

3. _____ Hay pocos cerdos en el país donde trabaja el hijo que va a otro país.

   _____

4. _____ Los criados comen algarrobas.

   _____

5. _____ En la casa del padre todos pasan hambre.

   _____

6. _____ El padre se alegra al ver a su hijo perdido.

   _____

7. _____ Preparan una gran fiesta en honor de los dos hijos.

   _____

8. _____ El hermano mayor se enoja cuando ve la fiesta.

   _____

9. _____ El hermano mayor siempre obedece a su padre.

   _____

10. _____ Matan un cabrito para la fiesta.

   _____

C. PREGUNTAS. Answer the following questions with complete sentences.

1. ¿Qué quería el hijo más joven de su padre?

   _____

2. ¿Adónde fue este hijo?

   _____

3. ¿Qué faltaba allí?

   _____

4. ¿Cómo trabajó allí el hijo?

   _____

5. ¿Por qué decidió arrepentirse y volver a casa?

   _____

6. ¿Contra quiénes había pecado?

_____

7. ¿Cómo recibió el padre a su hijo?

_____

8. ¿Qué le dio el padre a su hijo para llevar?

_____

9. ¿Quién no estuvo contento cuando vio la celebración?

_____

10. ¿Qué comida prepararon para la fiesta?

_____

D. VOCABULARIO. Based on the context of the passage, match the words or expressions that are most closely associated.

_____ 1. herencia	a.	sandalias
_____ 2. derrochar	b.	besos
_____ 3. escasez de comida	c.	bienes
_____ 4. alegrarse	d.	malgastar
_____ 5. cerdo	e.	hacer fiesta
_____ 6. ropa	f.	pasar hambre
_____ 7. abrazos	g.	becerro

E. APLICACIÓN DEL VOCABULARIO. Select the word or expression from the **glosario** that best completes the meaning of each sentence. If necessary, change the word or expression to the appropriate form.

1. Debido a _____ de unos recursos naturales, la fábrica tuvo que reducir su producción.

2. Ese empleado cree que _____ un aumento de sueldo, pero su jefe no se lo dará.

3. La cabra cuidaba su _____ recién nacido.

4. Todos los hijos del hombre esperaban recibir una porción igual de _____.

5. El padre _____ cuando supo que su hijo le había desobedecido.

F. FRASES ORIGINALES. Write original sentences using a form of the following words.

1. desenfrenado _____

2. abrazos _____

3. malgastar _____

4. pasar hambre _____

5. bueno y sano _____

G. ORDEN CRONOLÓGICO. Number the following events according to their chronological order.

_____ a. El padre abrazó a su hijo.

_____ b. El padre les dio a sus hijos la herencia.

_____ c. El hijo regresó a la casa de su padre.

_____ d. El hijo vendió su parte de la propiedad.

_____ e. El padre explicó por qué tenían la celebración.

_____ f. El hijo se fue a otro país.

_____ g. El hermano mayor vio la fiesta.

_____ h. El padre le rogó al hermano mayor que entrara.

_____ i. Los criados visten al hijo con la mejor ropa.

_____ j. El hijo trabajó cuidando cerdos.

H. SUMARIO. In Spanish, briefly summarize this passage.

_____

_____

_____

_____

_____

_____

_____

I. EXPLICACIÓN DEL TEXTO. Read the following excerpt from the parable and tell, in Spanish, how these words are meaningful to us in our own lives.

> Pero ahora es muy justo hacer fiesta y alegrarnos,
> porque tu hermano, que estaba muerto, ha vuelto
> a vivir, se había perdido y lo hemos encontrado.

_____

_____

_____

_____

J. COMPOSICIÓN Y CONVERSACIÓN. The following comments and questions are for written or oral reflection.

1. Todo el mundo peca contra Dios a veces. Queremos ser perfectos, pero también sabemos que es imposible. ¿Puede Ud. aceptar sus propias faltas o imperfecciones? ¿las de otros? ¿Qué debemos hacer cuando pecamos?

2. Después de pecar, muchas personas quieren arrepentirse pero creen que sus pecados no serán perdonados. ¿Qué le aconsejaría Ud. a alguien que se sintiera así?

3. El hermano mayor tenía celos de la fiesta que el padre estaba haciendo en honor del hijo más joven. ¿Puede Ud. entender su reacción? ¿Se ha sentido Ud. celoso alguna vez de alguien? ¿Por qué nos sentimos así?

LENGUAJE HUMANO EN PALABRA DE DIOS

Marcos 9. 14–29
Jesús sana a un muchacho que tenía un espíritu impuro

A. LEER. In this passage we see Jesus as He casts an evil spirit from a young boy.

¹⁴ Cuando regresaron a donde estaban los discípulos, los encontraron rodeados de una gran multitud, y algunos maestros de la ley discutían con ellos. ¹⁵ Al ver a Jesús, todos corrieron a saludarlo llenos de admiración. ¹⁶ El les preguntó:

—¿Qué están ustedes discutiendo con ellos?

¹⁷ Uno de los presentes contestó:

—Maestro, aquí te he traído a mi hijo, pues tiene un espíritu que lo ha dejado mudo.° ¹⁸ Dondequiera que se encuentre, el espíritu lo agarra° y lo tira° al suelo; y echa espuma° por la boca, le rechinan° los dientes y se queda tieso.° He pedido a tus discípulos que le saquen ese espíritu, pero no han podido.

¹⁹ Jesús contestó:

—¡Gente sin fe! ¿Hasta cuándo tendré que estar con ustedes? ¿Hasta cuándo tendré que soportarlos? Traigan acá al muchacho.

²⁰ Entonces llevaron al muchacho ante Jesús. Pero cuando el espíritu vio a Jesús, hizo que le diera un ataque al muchacho, el cual cayó al suelo revolcándose° y echando espuma por la boca. ²¹ Jesús le preguntó al padre:

—¿Desde cuándo le sucede esto?

El padre contestó:

—Desde que era niño. ²² Y muchas veces ese espíritu lo ha arrojado al fuego y al agua, para matarlo. Así que, si puedes hacer algo, ten compasión de nosotros y ayúdanos.

²³ Jesús le dijo:

—¿Cómo que° 'si puedes'? ¡Todo es posible para el que cree!

²⁴ Entonces el padre del muchacho gritó:

—Yo creo. ¡Ayúdame a creer más!

²⁵ Al ver Jesús que se estaba reuniendo mucha gente, reprendió al espíritu impuro, diciendo:

—Espíritu mudo y sordo,° yo te ordeno que salgas de este muchacho y que no vuelvas a entrar en él.

²⁶ El espíritu gritó, e hizo que le diera otro ataque al muchacho. Luego salió de él, dejándolo como muerto, de modo que° muchos decían que, en efecto, estaba muerto. ²⁷ Pero Jesús, tomándolo de la mano, lo levantó; y el muchacho se puso de pie.°

²⁸ Luego Jesús entró en una casa, y sus discípulos le preguntaron a solas:

—¿Por qué nosotros no pudimos expulsar ese espíritu?

²⁹ Y Jesús les contestó:

—A esta clase de demonios solamente se la puede expulsar por medio de la oración.°

GLOSARIO

mudo el que no puede hablar como consecuencia de un defecto físico
agarra (-ar) tomar, sujetar fuertemente
tira (-ar) arrojar con fuerza
echa espuma *(he) foams*
rechinan (-ar) producir un sonido desagradabe cuando una cosa se frota con otra
tieso rígido, tenso
revolcándose (-arse) contorsionarse y revolverse por el suelo debido a un fuerte dolor o acceso de furia o rabia
¿Cómo que...? *What do you mean...?*
sordo que no oye
de modo que *so that, in such a way that*
se puso de pie se levantó
oración (f) rezo, ruego (a Dios)

B. **¿SÍ o NO?** Read each statement and indicate if it is **Verdadero** (V) or **Falso** (F). If the statement is false, correct it. If it is true, add a comment about the statement.

1. _____ Son pocas las personas que hablan con los discípulos.

_____

2. _____ El muchacho es ciego.

_____

3. _____ Los discípulos expulsan el espíriru impuro del muchacho.

_____

4. _____ El espíritu impuro agarra al muchacho y lo tira al suelo.

_____

5. _____ Cuando el espíritu impuro ve a Jesús, el muchacho se revuelca.

_____

6. _____ El muchacho sufre así desde muy joven.

_____

7. _____ Todo es posible para el que cree.

_____

8. _____ El demonio mata al muchacho.

_____

9. _____ Jesús levanta al muchacho.

_____

10. _____ Los discípulos no saben expulsar al demonio.

_____

C. PREGUNTAS. Answer the following questions with complete sentences.

1. ¿Quién le pide a Jesús que ayude al muchacho?

_____

2. ¿Quién le causa al muchacho los ataques?

_____

3. ¿Quiénes no pudieron expulsar al demonio?

_____

4. ¿Qué le pasa al muchacho cuando el espíritu impuro ve a Jesús?

_____

5. ¿Cuánto tiempo hace que el demonio aflige al muchacho?

_____

6. ¿Para quién es todo posible?

_____

7. ¿Quién expulsó al demonio?

_____

8. ¿Cómo dejó el demonio al muchacho?

_____

9. ¿Cómo sabían que el muchacho no estaba muerto?

_____

10. ¿Cómo se puede expulsar esa clase de demonio?

_____

D. VOCABULARIO. Based on the context of the passage, match the words or expressions that are most closely associated.

_____ 1. mudo	a. saca
_____ 2. espíritu impuro	b. tira
_____ 3. rechinar	c. sordo
_____ 4. espuma	d. se puso de pie
_____ 5. agarra	e. demonio
_____ 6. expulsa	f. dientes
_____ 7. lo levantó	g. boca

E. APLICACIÓN DEL VOCABULARIO. Select the word or expression from the **glosario** that best completes the meaning of each sentence. If necessary, change the word or expression to the appropriate form.

1. La ciudad de Ávila está _____ un muro.

2. En sus _____ le dio gracias a Dios.

3. Esta medicina calmará los músculos _____.

4. Cuando está nervioso siempre _____ los dientes.

5. El ladrón _____ la cartera y salió corriendo.

F. FRASES ORIGINALES. Write original sentences using a form of the following words.

1. mudo _____

2. tirar _____

3. sordo _____

4. revolcarse _____

5. arrojar _____

G. IDENTIFICAR. Based on the following excerpts from the passage, identify the person or group that is speaking (numbers 1, 2 and 3), or the person or group being described (numbers 4, 5 and 6).

1. «¿Cómo que si puedes? » _____

2. «¡Ayúdame a creer más!» _____

3. «¿Por qué nosotros no pudimos expulsar ese demonio? »_____

4. … gritó e hizo que le diera otro ataque. _____

5. … discutían con los discípulos. _____

6. … se puso de pie. _____

H. SUMARIO. In Spanish, briefly summarize this passage.

_____

_____

_____

_____

_____

_____

_____

I. EXPLICACIÓN DEL TEXTO. Read the following excerpt from the passage and tell, in Spanish, why Jesus was so upset with His disciples.

¡Gente sin fe! ¿Hasta cuándo tendré que estar con ustedes?

_____

_____

_____

_____

_____

J. COMPOSICIÓN Y CONVERSACIÓN. The following comments and questions are for written or oral reflection.

1. «A esta clase de demonios solamente se la puede expulsar por medio de la oración.» Esas palabras de Jesús nos enseñan mucho acerca del poder de rezar. ¿Qué papel tiene la oración en su vida? ¿Qué es rezar?

2. El demonio poseía al muchacho. ¿Es posible que el demonio posea a personas hoy en día? Si no es una cuestión de poseer, ¿puede el espíritu impuro entrar en alguien y tener influencia en su vida? ¿Dónde se ve al diablo en nuestro mundo actual? ¿Cómo podemos luchar contra él?

LENGUAJE HUMANO EN PALABRA DE DIOS

Marcos 13. 24–37
El regreso del Hijo del hombre

A. LEER. In this passage from Mark we read of the second coming of Jesus.

²⁴ "Pero en aquellos días, pasado el tiempo de sufrimiento, el sol se oscurecerá,° la luna dejará de dar° su luz, ²⁵ las estrellas caerán del cielo y las fuerzas celestiales temblarán.° ²⁶ Entonces se verá al Hijo del hombre venir en las nubes° con gran poder y gloria. ²⁷ El mandará a sus ángeles, y reunirá a sus escogidos de los cuatro puntos cardinales, desde el último rincón° de la tierra hasta el último rincón del cielo.

²⁸ Aprendan esta enseñanza de la higuera:° Cuando sus ramas° se ponen tiernas,° y brotan° sus hojas,° se dan cuenta ustedes° de que ya el verano está cerca. ²⁹ De la misma manera, cuando vean que suceden estas cosas, sepan que el Hijo del hombre ya está a la puerta. ³⁰ Les aseguro que todo esto sucederá antes que muera la gente de este tiempo. ³¹ El cielo y la tierra dejarán de existir, pero mis palabras no dejarán de cumplirse.°

³² "Pero en cuanto al° día y la hora, nadie lo sabe, ni aun los ángeles del cielo, ni el Hijo. Solamente lo sabe el Padre.

³³ "Por lo tanto,° manténganse ustedes despiertos y vigilantes, porque no saben cuándo llegará el momento. ³⁴ Esto es como un hombre que, estando a punto de irse a otro país, encarga° a sus criados que le cuiden la casa. A cada cual le manda un trabajo, y ordena al portero° que vigile. ³⁵ Así pues,° manténganse ustedes despiertos, porque no saben cuándo va a llegar el señor de la casa, si al anochecer, a la medianoche, al canto del gallo° o a la mañana; ³⁶ no sea que venga de repente y los encuentre durmiendo. ³⁷ Lo que les digo a ustedes se lo digo a todos: ¡Manténganse despiertos!"

GLOSARIO

se oscurecerá (-er)   privar la luz y claridad, desaparición gradual de la luz

dejará de dar   *will stop giving*

temblarán (-ar)   agitarse con movimiento frecuente e involuntario debido al miedo, golpes o sacudidas

nubes (f)   masa de vapor suspendida en la atmósfera

rincón (m)   ángulo entrante que se forma en el encuentro de dos paredes

higuera (f)   árbol de hojas grandes, cuyo fruto es el higo; *fig tree*

ramas (f)   parte del árbol que sale del tronco

tiernas   blandas, suaves

brotan (-ar)   nacer o salir la planta de la tierra

hojas (f)   los órganos verdes que nacen en la mayoría de los vegetales

se dan cuenta ustedes (darse cuenta)   llegar a comprender o advertir una cosa

cumplirse   ejecutar, llevar a efecto

en cuanto al   *as far as, as regards*

Por lo tanto   *Therefore*

encarga (-ar)   confiar una cosa al cuidado de otro

portero (m)   persona que tiene a su cuidado el guardar la entrada de un edificio

Así pues   *So then*

gallo (m)   ave de corral, de cabeza adornada de una cresta roja

B. **¿SÍ o NO?** Read each statement and indicate if it is **Verdadero** (V) or **Falso** (F). If the statement is false, correct it. If it is true, add a comment about the statement.

1. _____ El sol no va a dar luz.

_____

2. _____ Las hojas van a temblar.

_____

3. _____ El Hijo del hombre va a venir en las nubes.

_____

4. _____ Él va a reunir a todos los escogidos.

_____

5. _____ Sus palabras van a cumplirse.

_____

6. _____ Los ángeles saben la fecha de la venida del Señor.

_____

7. _____ Hay que estar listo para la llegada de Jesús.

_____

8. _____ Los criados no van a tener nada que hacer mientras su amo está fuera de casa.

_____

9. _____ El portero va a darse cuenta de la llegada del señor de la casa.

_____

10. _____ El gallo canta al anochecer.

_____

C. PREGUNTAS. Answer the following questions with complete sentences.

1. ¿Qué no dará la luna?

_____

2. ¿Qué caerá del cielo?

_____

3. ¿Qué cosas temblarán?

_____

4. ¿A quiénes reunirá el Señor?

_____

5. ¿Qué es lo que no existe para siempre?

_____

6. ¿Quién sabe cuando vendrá el Hijo del hombre?

_____

7. ¿Quiénes trabajan mientras el señor de la casa está fuera de viaje?

_____

8. ¿Cuándo llegará el Señor?

_____

9. ¿Cómo debemos mantenernos?

_____

10. ¿A quiénes dice esto?

_____

D. VOCABULARIO. Based on the context of the passage, match the words or expressions that are most closely associated.

_____ 1 despierto		a. hojas
_____ 2. estrellas		b. cuidar la casa
_____ 3. ramas		c. amanecer
_____ 4. criados		d. vigilante
_____ 5. anochecer		e. gallo
_____ 6. canto		f. cielo

E. APLICACIÓN DEL VOCABULARIO. Select the word or expression from the **glosario** that best completes the meaning of each sentence. If necessary, change the word or expression to the appropriate form.

1. En la primavera las hojas de las plantas _____.

2. En el campo _____ nos despierta al amanecer.

3. La madre _____ a causa de su temor tan tremendo.

4. _____ siempre me saluda cuando paso por la puerta.

5. El jefe les _____ muchas responsabilidades a sus empleados.

F. FRASES ORIGINALES. Write original sentences using a form of the following words.

1. higuera _____

2. tierno _____

3. cumplirse _____

4. dejará de dar _____

5. Por lo tanto _____

G. ESCOGER. Indicate which of the following statements refer to the return of Jesus (**Sí**) and which do not (**No**).

_____ 1. Los criados se despertarán.

_____ 2. La luna no dará luz.

_____ 3. El gallo cantará.

_____ 4. Las estrellas caerán del cielo.

_____ 5. El sol brillará.

_____ 6. Las fuerzas celestiales temblarán.

_____ 7. El portero llamará a la puerta.

H. SUMARIO. In Spanish, briefly summarize this passage.

_____

_____

_____

_____

_____

_____

_____

I. EXPLICACIÓN DEL TEXTO. Read the following excerpt from the passage and tell, in Spanish, why these words are still appropriate today.

¡Manténganse despiertos!

_____

_____

_____

_____

_____

J. COMPOSICIÓN Y CONVERSACIÓN. The following comments and questions are for written or oral reflection.

1. Jesús promete la vida eterna a los que siguen su palabra. Nadie puede saber cómo será esa vida, pero tratamos de imaginarla en términos humanos. En su opinión, ¿cómo será la vida eterna en el reino de Dios?

2. Mucha gente no cree en Dios, en Jesús, en la resurrección, en nuestra salvación. Así no pueden creer en la vida eterna. Ellos creen que la muerte del cuerpo es el fin; que no hay nada más. ¿Cómo influye nuestra fe en el entendimiento o aceptación de la muerte?

LENGUAJE HUMANO EN PALABRA DE DIOS

Juan 8. 31–47
Los hijos de Dios y los esclavos del pecado

A. LEER. In this passage from John we read about the children of God and the slaves of sin.

³¹ Jesús les dijo a los judíos que habían creído en él:

—Si ustedes se mantienen fieles° a mi palabra, serán de veras mis discípulos; ³² concocerán la verdad, y la verdad los hará libres.

³³ Ellos le contestaron:

—Nosotros somos descendients de Abraham, y nunca hemos sido esclavos de nadie; ¿cómo dices tú que seremos libres?

³⁴ Jesús les dijo:

—Les aseguro que todos los que pecan° son esclavos del pecado.° ³⁵ Un esclavo no pertenece° para siempre a la familia; pero un hijo sí pertenece para siempre a la familia. ³⁶ Así que, si el Hijo los hace libres, ustedes serán verdaderamente libres. ³⁷ Ya sé que ustedes son descendientes de Abraham; pero quieren matarme porque no aceptan mi palabra. ³⁸ Yo hablo de lo que mi Padre me ha mostrado, y ustedes hacen lo que su padre les ha dicho.

³⁹ Ellos le dijeron:

—¡Nuestro padre es Abraham!

Pero Jesús les contestó:

—Si ustedes fueran de veras hijos de Abraham, harían lo que él hizo. ⁴⁰ Sin embargo, aunque les he dicho la verdad que Dios me ha enseñado, ustedes quieren matarme. ¡Abraham nunca hizo nada así! ⁴¹ Ustedes hacen lo mismo que hace su padre.

Ellos le dijeron:

—¡Nosotros no somos hijos bastardos; tenemos un solo padre, que es Dios!

⁴² Jesús les contestó:

—Si de veras Dios fuera su padre, ustedes me amarían,° porque yo vengo de Dios y aquí estoy. No he venido por mi propia cuenta,° sino que

Dios me ha enviado.° ⁴³ ¿Por qué no pueden entender ustedes mi mensaje?°
Pues simplemente porque no quieren escuchar mi palabra. ⁴⁴ El padre de
ustedes es el diablo; ustedes le pertenecen, y tratan de hacer lo que él
quiere. El diablo ha sido un asesino° desde el principio. Nunca se ha basado
en la verdad, y nunca dice la verdad. Cuando dice mentiras,° habla como lo
que es; porque es mentiroso y es el padre de la mentira. ⁴⁵ Pero como yo
digo la verdad, ustedes no me creen. ⁴⁶ ¿Quién de ustedes puede demostrar°
que yo tengo algún pecado? Y si digo la verdad, ¿por qué no me creen?
⁴⁷ El que es de Dios, escucha las palabras de Dios; pero como ustedes no
son de Dios, no quieren escuchar.

GLOSARIO

se mantienen fieles *stay faithful*
pecan (-ar)   cometer una falta contra la ley de Dios o los dictados de la conciencia
pecado (m)   falta contra la ley de Dios
pertenece (-er)   ser parte o miembro de
amarían (amar)   tener sentimiento hacia algo a alguien
por mi propia cuenta *for my own sake*
enviado (-ar)   mandar a alguna parte
mensaje (m)   comunicado, recado
asesino (m)   el que mata a otra persona
dice mentiras   decir cosas falsas que no son verdad
demostrar   probar

B. ¿SÍ o NO? Read each statement and indicate if it is **Verdadero** (V) or **Falso** (F). If
the statement is false, correct it. If it is true, add a comment about the statement.

1. _____ Jesús habla con los judíos.

_____

2. _____ Los judíos son descendientes de Abraham.

_____

3. _____ Los judíos dicen que son esclavos.

_____

4. _____ Las personas que son fieles a Jesús serán esclavos.

_____

5. _____ Un esclavo no pertenece para siempre a la familia.

_____

6. _____ Un hijo es esclavo de la familia.

_____

7. _____ Jesús viene por su propia cuenta.

_____

8. _____ No entienden el mensaje de Dios porque no quieren pecar.

_____

9. _____ Jesús dice que el padre de ellos es el diablo.

_____

10. _____ El diablo es un asesino.

_____

C. PREGUNTAS. Answer the following questions with complete sentences.

1. ¿Cómo serán discípulos de Jesús los judíos?

_____

2. ¿Qué les hará libres?

_____

3. ¿De quién son descendientes los judíos?

_____

4. ¿Quiénes son esclavos del pecado?

_____

5. ¿Por cuánto tiempo pertenece un hijo a la familia?

_____

6. Según los judíos, ¿quién es su padre?

_____

7. ¿Quién ha enviado a Jesús?

_____

8. Según Jesús, ¿quién es el padre de ellos?

_____

9. ¿Qué es el diablo?

_____

10. ¿De quiénes es padre el diablo?

_____

D. VOCABULARIO. Based on the context of the passage, match the words or expressions that are most closely associated.

_____ 1. diablo   a. familia

_____ 2. escuchar   b. discípulos

_____ 3. pecar   c. libre

_____ 4. pertenece   d. palabra

_____ 5. fieles   e. esclavo

_____ 6. verdad   f. asesino

E. APLICACIÓN DEL VOCABULARIO. Select the word or expression from the **glosario** that best completes the meaning of each sentence. If necessary, change the word or expression to the appropriate form.

1. _____ mató a sus víctimas a sangre fría.

2. Les llamé por teléfono, pero no recibieron mi _____.

3. Se sintió culpable por sus _____ contra Dios.

4. El vendedor va a _____ las máquinas nuevas.

5. Me parece que este tópico _____ a otra categoría.

F. FRASES ORIGINALES. Write original sentences using a form of the following words.

1. pecar _____

2. amar _____

3. mentiroso _____

4. de veras _____

5. lo mismo _____

G. IDENTIFICAR. Match the following people with the appropriate description.

_____ 1. judíos   a. enviado por Dios

_____ 2. discículos   b. no pertenece para siempre a la familia

_____ 3. esclavo   c. descendientes de Abraham

_____ 4. hijo   d. se mantienen fieles a la palabra de Jesús

_____ 5. Jesús   e. pertenece para siempre a la familia

H. SUMARIO. In Spanish, briefly summarize this passage.

_____

_____

_____

_____

_____

_____

_____

I. EXPLICACIÓN DEL TEXTO. Read the following excerpt from the passage and tell, in Spanish, why these words are meaningful for us.

Si ustedes se mantienen fieles a mi palabra, serán
de veras mis discípulos; conocerán la verdad, y la
verdad los hará libres.

_____

_____

_____

_____

_____

J. COMPOSICIÓN Y CONVERSACIÓN. The following comments and questions are for written or oral reflection.

1. Jesús dijo que todos los que pecan son esclavos del pecado. Hoy en día mucha gente cree que nuestra sociedad es demasiado materialista. Dicen que somos esclavos del consumo y de los bienes materiales. ¿Qué te parece? ¿Está Ud. de acuerdo con esa opinión? ¿Prestamos demasiada atención a las cosas materiales? ¿Nos preocupamos demasiado del dinero?

2. Jesús dijo que el diablo es un asesino y el padre de la mentira. ¿Vemos la influencia del diablo en el mundo de hoy en día? ¿Cuándo? ¿Dónde? En su opinión, ¿qué es el diablo?

LENGUAJE HUMANO EN PALABRA DE DIOS

Mateo 11. 1–19
Los enviados de Juan el Bautista

A. LEER. In this passage John the Baptist sends his followers to ask Jesus if He is the one who is to come, or if they should wait for another.

¹ Cuando Jesús terminó de dar instrucciones a sus doce discípulos, se fue de allí a enseñar y anunciar el mensaje en los pueblos de aquella región.

² Juan, que estaba en la cárcel, tuvo noticias de lo que Cristo estaba haciendo. Entonces envió algunos de sus seguidores° ³ a que le preguntaran si él era de veras° el que había de venir,° o si debían esperar a otro.

⁴ Jesús les contestó: "Vayan y díganle a Juan lo que están viendo y oyendo. ⁵ Cuéntenle que los ciegos° ven, los cojos° andan, los leprosos° quedan limpios de su enfermedad, los sordos° oyen, los muertos vuelven a la vida y a los pobres se les anuncia el mensaje de salvación. ⁶ ¡Y dichoso aquel que no pierda su confianza en mí!"

⁷ Cuando ellos se fueron, Jesús comenzó a hablar a la gente acerca de Juan, diciendo: "¿Qué salieron ustedes a ver al desierto? ¿Una caña° sacudida° por el viento? ⁸ Y si no, ¿qué salieron a ver? ¿Un hombre vestido con lujo?° Ustedes saben que los que se visten con lujo están en las casas de los reyes. ⁹ En fin, ¿a qué salieron? ¿A ver a un profeta? Sí, de veras, y a uno que es mucho más que profeta. ¹⁰ Juan es aquel de quien dice la Escritura:

'Yo envío mi mensajero delante de ti,
para que te prepare el camino.'

¹¹ Les aseguro que, entre todos los hombres, ninguno ha sido más grande que Juan el Bautista; y, sin embargo,° el más pequeño en el reino de Dios es más grande que él.

¹² "Desde que vino Juan el Bautista hasta ahora, el reino de Dios sufre violencia, y los que usan la fuerza pretenden acabar con él.° ¹³ Todos los profetas y la ley fueron sólo un anuncio del reino, hasta que vino Juan; ¹⁴ y, si ustedes quieren aceptar esto, Juan es el profeta Elías que había de venir. ¹⁵ Los que tienen oídos,° oigan.

¹⁶ "¿A qué compararé la gente de este tiempo? Se parece a los niños que se sientan a jugar en las plazas y gritan a sus compañeros: ¹⁷ 'Tocamos la flauta, pero ustedes no bailaron; cantamos canciones tristes, pero ustedes no lloraron.' ¹⁸ Porque vino Juan, que ni come ni bebe, y dicen que tiene un demonio. ¹⁹ Luego ha venido el Hijo del hombre, que come y bebe, y dicen que es glotón° y bebedor, amigo de gente de mala fama y de los que cobran impuestos para Roma. Pero la sabiduría° de Dios se demuestra por todos sus resultados."

GLOSARIO

seguidores (m)   los que van después o detrás de uno y de su doctrina o forma de vida

de veras   *truly, really*

el que había de venir   *the one who was to come*

ciegos (m)   los que no ven

cojos (m)   los que caminan de modo desigual

leprosos (m)   los que sufren de una enfermedad contagiosa de la piel

sordos (m)   los que no oyen

caña (f)   tallo de las plantas gramíneas

sacudida (-ir)   agitar violentamente una cosa

vestido con lujo   *dressed lavishly*

sin embargo   *nevertheless, notwithstanding*

pretenden acabar con él   *seek to do away with it*

oídos (m)   órgano y sentido de la audición

glotón (m)   el que come mucho

sabiduría (f)   conocimiento profundo

B. **¿SÍ o NO?** Read each statement and indicate if it is **Verdadero** (V) or **Falso** (F). If the statement is false, correct it. If it is true, add a comment about the statement.

1. _____ Los discípulos y Jesús salen para otros pueblos.

_____

2. _____ Juan sabe lo que hace Jesús.

_____

3. _____ Juan está con Jesús.

_____

4. _____ Los seguidores de Juan se encuentran con Jesús.

_____

5. _____ Juan se viste con lujo.

_____

6. _____ Juan es el mensajero de Jesús.

_____

7. _____ Jesús compara a la gente con los profetas.

_____

8. _____ La gente dice que Jesús es un glotón.

_____

9. _____ Jesús habla a la gente acerca de los seguidores de Juan.

_____

10. _____ La gente cree que Juan es un demonio.

_____

C. PREGUNTAS. Answer the following questions with complete sentences.

1. ¿Qué estaba haciendo Jesús antes de salir para los pueblos?

_____

2. ¿Por qué no se encontró Juan con Jesús?

_____

3. ¿A quiénes envió Juan para hablar con Jesús?

_____

4. ¿Qué deben decirle a Jesús?

_____

5. ¿Qué milagros van a contarle a Juan?

_____

6. ¿Con quiénes habló Jesús después de que se fueron sus discípulos?

_____

7. ¿De quién habló Jesús con ellos?

_____

8. En el reino de Dios, ¿quién es más grande que Juan?

_____

9. ¿Con quién compara la gente a Jesús?

_____

10. ¿De quiénes era amigo Jesús?

_____

D. VOCABULARIO. Based on the context of the passage, match the words or expressions that are most closely associated.

_____ 1. los ciegos   a. quedan limpios

_____ 2. los cojos   b. ven

_____ 3. los leprosos   c. vuelven a la vida

_____ 4. los sordos   d. andan

_____ 5. los muertos   e. oyen

E. APLICACIÓN DEL VOCABULARIO. Select the word or expression from the **glosario** that best completes the meaning of each sentence. If necessary, change the word or expression to the appropriate form.

1. Después de veinte años en _____, el hombre esperaba el día de su liberación.

2. Los vasos se rompieron porque el niño había _____ la caja en la cual fueron entregados.

3. Todos respetaban _____ del anciano.

4. Un amigo mío vino a la tertulia _____, creyendo que así nos impresionaría.

5. La dactilología ayuda a los mudos y a los _____ a comunicarse.

F. FRASES ORIGINALES. Write original sentences using a form of the following words.

1. glotón _____

2. seguidores _____

3. mensaje _____

4. cojos _____

5. sin embargo _____

G. ORDEN CRONOLÓGICO. Number the following events according to their chronological order.

_____ a. Jesús compara a la gente con niños.

_____ b. Los seguidores de Juan preguntan a Jesús.

_____ c. Jesús termina de dar instrucciones a sus discípulos y se va para otros pueblos a enseñar.

_____ d. Jesús contesta a los seguidores de Juan.

_____ e. Jesús habla acerca de Juan.

H. SUMARIO. In Spanish, briefly summarize this passage.

_____

_____

_____

_____

_____

_____

_____

I. EXPLICACIÓN DEL TEXTO. Read the following excerpt from the passage and tell, in Spanish, what these words spoken by Jesus tell us about God's kingdom in heaven.

> Les aseguro que, entre todos los hombres,
> ninguno ha sido más grande que Juan el Bautista;
> y, sin embargo, el más pequeño en el reino de
> Dios es más grande que él.

_____

_____

_____

_____

_____

J. COMPOSICIÓN Y CONVERSACIÓN. The following comments and questions are for written or oral reflection.

1. Jesús concluye esta lección diciendo «Pero la sabiduría de Dios se demuestra por todos sus resultados.» ¿Qué resultados vemos en el mundo de hoy? ¿Ve algún tipo de resultado en su vida personal?

2. Muchas personas creen que es difícil creer en Dios a causa del mal que existe en el mundo (la pobreza, la violencia, la guerra). Recordamos a Job y todo lo que le sucedió. Si sabemos que Dios es bueno y todo-poderoso, ¿cómo se puede explicar la existencia del mal que nos rodea?